À MA FENÊTRE

du même auteur
chez le même éditeur

MES DIBBOUKS

LUC BONDY

À MA FENÊTRE

Traduit de l'allemand
par Olivier MANNONI

CHRISTIAN BOURGOIS ÉDITEUR ◊

Titre original :
Am Fenster

Né à Zurich en 1948, Luc Bondy a passé son enfance en France. Il a suivi une formation à l'école parisienne de Jacques Lecoq. Il a fait le récit de cette période dans *Mes dibbouks*. À partir de 1969, il s'installe en Allemagne où il monte plusieurs pièces du répertoire contemporain et classique. De 1974 à 1976, il travaille à Francfort puis réalise plusieurs mises en scène à la Schaubühne de Berlin, qu'il co-dirigera de 1985 à 1987.

Gombrowicz, Shakespeare, Marivaux, Molière, Ibsen, Genet, Botho Strauss et Ionesco comptent parmi les auteurs qu'il a mis en scène. En 1984, il est lauréat des prix de la critique en Allemagne et en France, pour sa mise en scène de *Terre étrangère* d'Arthur Schnitzler au Théâtre des Amandiers de Nanterre.

À l'opéra, il a réalisé de nombreux spectacles : *Lulu* (1978), *Wozzeck* (1981), *Così fan tutte* (1984), *Le Couronnement de Poppée* (1989), *Reigen* de Philippe Boesmans (1993), dont il signe le livret, *Don Giovanni* (1990), *Salomé* (1992), *Les Noces de Figaro* (1995), *Don Carlos* (1996). En 2009, il met en scène *Yvonne, princesse de Bourgogne* de Gombrowicz à l'Opéra de Paris et *Tosca* de Puccini au Metropolitan Opera de New York.

Luc Bondy dirige le Festival de Vienne (Autriche).

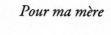

Pour ma mère

Il a de l'énergie, mais pas d'espoir.

Le matin il ne traîne plus au lit ; il bondit sur ses jambes, en dépit de sa lassitude persistante – il ne voit que des ombres et mesure à l'œil nu l'eau et le café moulu, sans respecter la moindre proportion. Il n'a pas beaucoup de force dans le poignet, raison pour laquelle il ne tient que brièvement la cruche sous le robinet. Il ne se rappelle pas qu'il a déjà déversé trois cuillérées de café dans le filtre, et sa distraction lui en fait rajouter cinq autres. Que le café ait un goût amer le laisse indifférent, on sent moins les choses avec l'âge, tout doit devenir plus intense, plus vif – même si je traversais les flammes, se dit-il, je ne sentirais pas que mon pyjama brûle. C'est ainsi qu'est parti son grand-père – comme cela remonte loin ! –, dans son lit, un peu plus vieux que lui-même aujourd'hui : il s'était endormi une cigarette aux lèvres, sa femme avait déjà disparu à l'époque, il vivait seul et peut-être avec cette même énergie dépourvue d'objet qui l'animait, lui, désormais.

Ce grand-père, pense-t-il devant la cafetière élec-trique, n'a pas joué un rôle essentiel dans ma vie, je n'ai fait sa connaissance qu'au moment où il avait

perdu la mémoire. Qu'un homme de cet âge réfléchisse à son grand-père, voilà une chose singulière qui
prouve… oui, au fait, qu'est-ce que cela prouve ?

Quand il pense à cet aïeul, il voit d'autres meubles,
d'autres appareils électriques, d'autres vêtements, il
entend la radio d'autrefois annoncer des événements
auxquels les petits-enfants de l'homme vieillissant
ont depuis longtemps cessé de prêter attention dans
leur livre d'histoire. La construction du Mur de Berlin, l'attentat contre un président américain… À ce
grand-père qui, physiquement, ne lui ressemblait en
rien, dont la fille est devenue sa mère et dont il n'a
pas hérité ne fût-ce qu'un trait du visage, il pense
assez souvent depuis des mois, sans comprendre
pourquoi.

L'aïeul, ange invisible, s'est-il réfugié dans le
corps de Donatey ? D'autres membres de sa petite
famille viennent-ils l'y rejoindre, se nichant en lui
comme s'ils voulaient être en groupe pour l'escorter
jusqu'au Jugement dernier ? Un sexagénaire ne se
contente pas de penser à la mort : la mort aussi
pense à lui, elle le tient par le bras quand il s'éloigne
trop de son but, et lui fait sentir qu'à l'instant
même ou un peu plus tard, il peut lui tomber dans
les bras, fusionnant avec elle comme il fusionne lui-
même à présent avec les membres de sa famille dont
il se souvient.

Le voir penser, lui, au Jugement dernier, c'est une
sorte d'imposture : il faudrait pour cela avoir la foi et
quelques connaissances solides, il faudrait être un
expert de la Bible et lui faire confiance. Cette image-
là est censée saisir le corps et, dans une certaine mesure,
influencer l'âme.

Le sexagénaire, autodidacte dans bien des domaines, est pour ce qui concerne la religion un promeneur qui aime les raccourcis. À chaque fois, il fait demi-tour, et ce n'est nullement par envie : il ne veut pas succomber à la religion, refuse de s'oublier en elle ; dans le cas contraire, il devrait s'arrêter, guetter autour de lui, pris de panique, il lui faudrait renoncer à sa vue préférée – l'horizon – et s'abandonner prudemment à un domaine dont il craint qu'il ne permette plus de retour.

Ce que lui et les quelques amis qui lui sont restés appellent le Jugement dernier et la Vie éternelle ne sont que des synonymes désemparés pour désigner les lieux qui succèdent à la vie, ceux où l'on espère se retrouver à un moment ou à un autre, en famille. Que dis-je, la famille ? Non seulement elle, mais aussi les amis d'autrefois, quelques femmes auxquelles nous avons encore voulu dire quelque chose avant de faire nos adieux, des relations qui se sont défaites trop tôt.

Un ami russe, Piotr Lvov, est arrivé dans ces lieux-là voici deux mois. Deux jours plus tôt, l'homme vieillissant lui avait offert un mouchoir de poche en soie bleu clair : dans un rêve que celui-ci fit après la nuit de sa mort, Piotr, penché, se mouchait dans la pièce de tissu, la repliait cérémonieusement, étudiait le motif (un cygne blanc) et franchissait ainsi le seuil, plongé dans l'observation du mouchoir plié…

Si notre sexagénaire avait déjà été sur place, il aurait reçu Piotr et lui aurait dit : « Ici, je comprends plus de choses qu'autrefois », et ce n'auraient pas été des mots, mais des pensées, échangées sans le moindre mouvement de lèvres.

Parfois, Georg, mon grand-père, arrivait à évoquer son passé ; mais, dans le même temps, il ne savait plus où il se trouvait, ni qui étaient ses interlocuteurs. À son épouse, il demandait : « Qui es-tu ? Tu es ma tante ? » ; à sa petite-fille, Daphné, il lançait : « Daphné, es-tu ma femme ? » Et avant même d'avoir obtenu une réponse, il tentait de lui glisser la main entre les jambes.

Le passé – et il en va exactement de même pour moi, pense l'homme vieillissant – était, pour Georg, le présent. Il était capable de parler d'Adolf Hitler comme s'il s'agissait d'un vieux camarade d'école venu s'asseoir face à lui dans son fauteuil vert olive : « Disons, un ami devenu en fin de compte un ennemi, parce que au début il était pour l'Allemagne, comme moi, mais ensuite il s'en est pris aux "autres" Allemands. »

Nous donnerons un nom à notre héros, son nom, pour parler de lui en termes plus personnels. Nous pourrons de temps en temps nous référer de nouveau à son âge, nous pourrions même en faire un « Je », bien que j'aie moi aussi la soixantaine et ne sois pas lui.

Je suis fier de cette dernière phrase, et je m'appelle Donatey. Maintenant que j'ai couché ce nom sur le papier, je suis pris d'un sentiment de honte, comme cela m'est souvent arrivé au fil de ma vie : l'espace d'un instant, je me suis mis à découvert, et je suis forcé de craindre que quelqu'un ne puisse réprimer un sourire amusé en entendant mon patronyme.

Buvant, donc, un café supplémentaire – c'est peut-être le quatrième –, je vois ce grand-père allemand parler de la ville d'Offenbach, où il possédait une fabrique de jute et eut un enfant unique avec son épouse, ma mère Mathilde Donatey, à laquelle j'emprunte ce nom de famille. Il avait un chauffeur, ses affaires étaient prospères, Mathilde fut élevée par une gouvernante. Sa mère, Léa, était d'une extrême paresse. Elle passait le plus clair de son temps adossée au radiateur, même l'été, parce qu'elle aimait tellement en sentir les arêtes dans son dos. Tellement.

Lorsque je pense à l'époque de mon grand-père et la compare avec la mienne, je suis saisi par la nostalgie de quelque chose que je n'ai jamais vécu, juste entendu… C'est dans les récits qu'on vit le mieux, les choses n'y sont pas aussi douloureuses que dans le temps présent, même si je ne ressens plus du tout les morsures qu'infligent ces histoires, comme beaucoup de choses qui se dissolvent ou que je retransmets vers l'accompagnateur dont j'ai parlé tout à l'heure.

Un exemple : ma cavité buccale – toute ma vie durant, j'ai évité de me brosser les dents, poussé par une foi aveugle dans la conservation des choses : les dents restaient, comme la main reste attachée à son bras, ou la tête posée sur le cou. Mais petit à petit, les dents sont tombées de ma bouche. Alors, ma belle-mère de Berne m'a offert une petite somme pour m'en faire implanter de nouvelles : quand je sens à présent qu'il y a dans ma bouche un élément totalement insensible, je devine ce que ce sera lorsque « tout » sera à l'avenant. Il n'est pas facile de tout s'imaginer, dans les moindres détails, à partir de cette constatation… cette insensibilité toute-puissante !

Dans la première phase du nazisme, la petite famille – ma mère et ses parents – est restée à Offenbach. Je crois qu'ils ont surmonté leur peur. En dessous de leur appartement vivait une autre famille. Tous, parents comme enfants, avaient des tailles de girafes ; Agathe, la fille aînée, se laissait elle aussi porter par des hanches étroites qui me seraient arrivées aux épaules. Après les premières exactions, elle assura mon grand-père que le pire était derrière eux, ce à quoi Georg répliqua par une citation de Shakespeare : « Ce n'est pas encore le pire, tant que l'on peut dire : Ceci est le pire. »

Georg, le père de ma mère, se laissa vite convaincre : après tout, il s'était battu pour l'Allemagne au cours de la Première Guerre mondiale, il avait dans le sang ce pays qui l'avait aidé à faire une belle fortune avec ses usines. Plus tard, lorsque l'homme vieillissant était assis au bord de son grand fauteuil, il entendait son grand-père ânonner des poèmes entiers de Goethe et de Heinrich Heine, en bonne partie incompréhensibles, son dentier ne cessant de lui glisser hors de la bouche ; il se sentait mieux les mâchoires nues. Moi, je donnerais beaucoup pour pouvoir faire arracher mes dents insensibles (j'allais presque écrire : mes dents sans âme). J'accepterais volontiers d'être inintelligible.

Je ne compte plus qu'en décennies. J'ai soixante ans aujourd'hui, même si j'en ai en vérité soixante-sept, et à soixante-neuf ans je me considérerai encore comme un sexagénaire – pourquoi pas ? Je passe mes journées à tenter de comprendre l'époque que j'ai vécue : le souvenir me pèse moins que le sentiment que je ne cesserai plus désormais de tenter d'attraper ce qui s'est passé à l'époque, comme à la chasse aux papillons. La plus grande partie s'est dérobée à mes yeux et à ma mémoire, ce n'est pas d'aujourd'hui que les choses m'ont échappé, mais au moment où je les ai vécues. Comprendre, c'est autre chose. Qui étais-je ? Étais-je ? Sommes-nous ?

Où je suis, où j'étais, les villes, les pays, les continents – tout cela, je l'oublie un peu plus chaque jour, comme si je me tenais dans une nuit sans étoile. Qui couche tout cela sur le papier ? Ce sont mes lèvres tremblantes : tout ce qu'on peut lire ici, c'est ma lèvre qui me le dicte.

Les gens, leurs qualités, leur physionomie, leurs anormalités, tout ce qu'ils ont d'extraordinaire et d'ordinaire, leurs gestes et leurs regards, leur dyslexie, leur manière de dormir, de veiller, de se laisser emporter par l'irritation ou par un amour excessif de l'humanité, comme moi – j'ai accepté tout cela, parfois même à mon corps défendant. Je ne sais pas – ma tête bourdonne de bruits humains, et cela ne diminue pas, tandis que je marche vers les soixante-dix ans... non, marcher, je ne le peux plus, je m'appuie sur deux béquilles en fer, prêt de la clinique Schulthess à Zurich. Je les astique deux fois par jour, pour que les gens aveuglés par le reflet du soleil ne me reconnaissent pas trop.

Il y a quatre semaines, Séraphine, ma compagne, est passée me prendre à la clinique. Elle est originaire d'Offenbach, comme ma mère, et bien que la généalogie soit son violon d'Ingres, nous n'avons pas trouvé la moindre branche commune entre nos deux familles.

Le jour où mon amante sera chauve – elle souffre d'une maladie de peau qui lui fait tomber les cheveux –, je lui dirai : « Maintenant tu ressembles au clown Grock. » Et elle me répondra : « *Nicht möglich* » (« Pas possible »). C'était l'expression favorite du clown – aujourd'hui, on dirait : son logo. Mon amante a le visage blême et un nez rond, tellement blanc. Assise sur la banquette arrière d'un taxi, elle se sent mal et devient plus blême encore, de plus en plus livide. Il y a juste ces lèvres pointées vers le haut – elle me donne l'impression que d'autres lèvres l'ont embrassée, y laissant cette empreinte rose. Elle n'est jamais vraiment contente, moi non plus, mais qui l'est ? Alors nos humeurs se dispersent comme une brume paisible au-dessus du lac de Vierwaldtstadt, où j'ai souvent été en cure.

Lorsque Séraphine parle dans son sommeil, elle efface toutes les phrases aimables dont elle se sert pour me flatter dans la journée. Je l'entends souvent dire, par exemple : « Je te dis "oui", même si je pense "non". » Ou encore : « La différence d'âge entre nous… » Je demande : « Quoi ? » Elle répète : « La différence d'âge entre nous… » mais au matin, lorsque je lui pose la question, elle s'étonne et termine sa phrase : « … n'est pas un problème. »

Pourtant son ton n'est plus le même, trop marqué par l'étonnement d'avoir prononcé le début de cette phrase-là au cours de la nuit. Je ne peux donc pas savoir si ces derniers mots en sont la vraie suite ou une correction diurne.

Depuis que j'ai eu soixante ans, je me retourne sur ma vie sans jamais éprouver assez de gratitude, je sais que seuls les rêves sont vrais, tout le reste n'est qu'artifice ou mensonges empilés. Nous nous forçons à produire de l'imaginaire, de simples bricolages, tandis que les rêves, eux, racontent sans avoir besoin de nous.

Lorsque j'allais à l'école à Meudon, je me suis amouraché d'une autre Séraphine. Nous nous promenions ensemble, son petit doigt accroché au mien. Nos condisciples criaient : « Les amoureux, oh, les amoureux ! » Un jour, cette Séraphine-là – elle était originaire d'Édimbourg – a détaché son petit doigt du mien, et a couru vers un autre garçon – je n'ai jamais su pourquoi. J'ai allongé mon petit doigt, encore replié l'instant d'avant ; aujourd'hui, il est de nouveau courbe, à cause de mon arthrite.

Après cet épisode, je m'étais juré de faire – peu avant ma mort, si cela ne tenait qu'à moi – la connaissance d'une femme qui porterait le même nom et à laquelle je m'enchaînerais. Désormais, Séraphine se défend dans son sommeil, alors que j'ai déjà bu neuf tasses de café, que je réfléchis beaucoup à ce qui s'est passé et à ce qui peut encore se produire, tout cet imprévu, à chaque minute un événement qui éclôt, quel manque d'immobilité !

Nous habitons Seminarstrasse, dans un appartement presque vide. On y trouvera difficilement un objet neuf ou que j'aie acheté. Ce sont de piteux héritages, des chaises garnies de tissus effrangés, et nous n'avons jamais pris le temps de songer à les rembourrer ou à les recoudre. Elles sont là où elles ont toujours été, perdues au milieu de la pièce. On s'en sert à peine, nous passons devant elles comme des automates, sans les écarter. Il y a le fauteuil vert du grand-père, dont on dirait que Georg vient de s'en lever : les plis de ses coussins respirent encore son corps. Le téléviseur que nous faisons réparer de temps en temps sans que nous vienne l'idée d'en changer : nous tenons à ses images en noir et blanc, nous ne voulons pas voir de couleurs qui nous donnent l'illusion d'une vie à laquelle nous ne pourrons jamais participer.

Le grand lit, dans la chambre à coucher, est près du sol et n'a que l'apparence du lit pour deux : ce sont deux matelas juxtaposés. Allongés côte à côte comme deux dépouilles, Léa et Georg sont recouverts de suaires en lin blafards. Et comme pour tranquilliser, un édredon violet s'étale sur les deux lits. L'édredon a-t-il un jour été d'une autre couleur ? Est-ce le temps qui l'a teint ainsi ? Je l'ignore. Mais cette couleur terne est bien assortie à la lumière lasse du plafonnier.

Quelques chambres donnent sur une prairie en pente ascendante. En haut, un terrain de jeu pour enfants s'étend sous la protection d'un grand tilleul. Autrefois, une longue balançoire était suspendue à la branche la plus basse, on peut encore voir les blessures que ses chaînes ont laissées dans le bois ; aujourd'hui les jeux sont des objets à bascule, en plastique, méconnaissables, des taches colorées qui se balancent dans un paysage aimable ou sinistre. Nous fumons au bord de la fenêtre ou sur le balcon, nous regardons de l'autre côté et nous laissons libre cours à nos imprécations contre les mutations de notre temps. Mon amie est bien plus jeune que moi, et pourtant tout aussi fragile. Nous fumons avant même le petit déjeuner, deux cigarettes chacun. Mon épouse Adèle repose au cimetière du même quartier, près de la place Buchegg, la fumée a fini par l'étouffer. Lorsque je me tiens devant sa tombe, je l'entends tousser sous la terre.

Cela me manque ; c'est peut-être moi qui ai incité ma jeune amante à fumer afin qu'elle aussi se mette à tousser et me rappelle la présence d'Adèle.

Je me demande sérieusement à quoi tient la différence entre mes trois amantes et mes deux épouses. Je le constate : certains jours, il n'y en a aucune. Je les regarde d'une manière qui me convient à cet instant précis, je ne connais pratiquement rien de leur existence personnelle. Et qui viendra me dire, au bout du compte : c'est comme ça, ou bien : ça ne doit pas se passer comme ça ? Rien de tout cela n'est écrit nulle part.

Après mon opération de la hanche, nous nous trouvions dans un centre thermal, au-dessus de la ville de Lucerne. Moi, le sexagénaire, j'étais le plus jeune de tous : bientôt, je n'eus plus besoin que d'une béquille, tandis que les autres ne pouvaient marcher qu'en s'attelant à de petits chariots – on les appelle des rollators. Dans le couloir très large de la pension Sonderfeld, quelques fauteuils roulants évoluaient à côté des déambulateurs ou dans un sens opposé, les uns allant de la salle à manger vers la véranda vitrée, les autres vers le réfectoire ; cela produisait d'authentiques bouchons dans lesquels je me frayais un chemin au bras de ma fiancée. En Suisse, que ce soit lors d'une promenade sur les pâturages ou dans un couloir d'hôtel, les gens se saluent, en tout cas ils s'adressent les uns aux autres un hochement de tête aimable. De là l'ultime optimisme entre membres du genre humain : un salut, plusieurs saluts ne sont pas à sous-estimer lorsqu'il s'agit d'affronter les peines de l'existence quotidienne.

Mais ces rites d'amabilité ne suffisent pas, loin s'en faut, à transformer la Suisse en un pays aimable : en 1943, dans un tramway, Mathilde, ma mère, s'est fait insulter par une Bâloise, ses grandes boucles d'oreilles dorées lui déplaisaient : « Dites donc, Mademoiselle, on n'est pas au carnaval ! »

Je n'ai plus désormais aucun goût dans la bouche, le café amer m'anesthésie le palais, je m'assois devant la fenêtre qui donne sur la Seminarstrasse ; nous attendrons l'après-midi, lorsque Séraphine sera réveillée, aux environs de 13 h 15, pour aller sur le balcon et regarder d'en haut le terrain de jeu et le tilleul.

Lorsque ma compagne se repose, j'arrive à mieux réfléchir et à faire défiler librement en moi les femmes qui l'ont précédée. Je leur parle, je m'excuse de telle chose, demande de l'indulgence pour telle autre — écoutez mes explications, ayez un peu de compréhension pour moi aussi ! Le plus souvent, la Seminarstrasse est vide, pourquoi ? Les boutiques, même les petits supermarchés Migros, se trouvent bien plus loin vers Paradeplatz. La rue décrit un coude, juste sous notre immeuble, si bien que de ce côté, au moins, je ne peux guère regarder vers la gauche ou vers la droite. Les immeubles se ressemblent tous, les gens qui y vivent sont aussi âgés que moi, parfois juste un peu plus jeunes.

Après avoir réussi à s'enfuir avec son épouse Léa et ma mère Mathilde, *via* la Belgique et Marseille, mon grand-père était revenu vivre dans cette rue, et même dans cet immeuble, juste un étage en dessous. Cette continuité me rassure extraordinairement. Tant de choses qui faisaient mon existence se sont subitement éteintes – mon métier, mes compagnes, les villes, dans mon enfance les écoles et les internats. Je fais partie des gens qui, bien souvent, ne savaient plus dans quel pays ils se réveillaient, et cette question-là en entraîne une autre : Qui suis-je ? D'ailleurs, suis-je seulement ? Et comment puis-je me le démontrer ?

J'ai soixante ans et, à la différence de beaucoup d'autres sexagénaires, je sais peu de choses sur mon ascendance. Ce que j'ai appris ou ce que j'apprends de mes ancêtres, je ne l'oublie pas, non, j'oublie un peu plus lesquels ont été à l'origine des événements ; je raconte peut-être, sans le savoir, un tout autre roman que le leur.

Ma mère, Mathilde Donatey, refusait de parler de l'époque où elle vivait dans l'émigration, personne ne devait rien savoir de ce qui lui était arrivé pendant la guerre, à elle et à sa famille, nul ne devait apprendre ce qu'il était advenu d'eux par la suite ; les souvenirs la plongeaient dans l'angoisse et surtout dans des accès de rage. On aurait dit que moi, par exemple, qui lui demandais souvent des détails, j'avais moi-même été un criminel du Troisième Reich, peut-être même un agent secret de la Gestapo venu l'arrêter après coup et l'envoyer au camp de concentration de Bergen-Belsen, là où la plupart des frères et sœurs de mon grand-père avaient été asphyxiés dans la chambre à gaz.

Peu après la mort de ma mère – elle avait quatre-vingt-douze ans, une plaie à la cuisse s'infecta au point de provoquer une septicémie –, elle racontait, plongée dans une demi-inconscience, des histoires de cette époque qu'elle avait voulu passer sous silence. Un récit inexpressif, sans émotion ; des histoires qui auraient pu être celles d'une tierce personne.

Jadis Mathilde voulait devenir première ballerine. À Offenbach, lorsqu'elle avait douze ans, elle fréquentait, outre le lycée, chaque après-midi, une école de ballet dirigée par une Russe. Madame Tsil donnait ses cours couchée, depuis un divan tapissé de couvertures aux couleurs vives ; elle lançait ses instructions sans jamais se redresser, fût-ce pour montrer un mouvement. Je crois que Mathilde était son élève préférée ; un jour elle lui prit le mollet et lança aux autres : « Celle-là deviendra une étoile, je vous le prédis ! » Mais à cette époque, déjà, Mathilde ne put s'en réjouir pour de bon. Elle ne croyait pas en ces encouragements. Quelque chose lui déplaisait dans l'atmosphère d'Offenbach, elle arrivait à peine à le définir, en tout cas elle avait toujours le cafard lorsqu'elle revenait à la maison après son cours. Mais c'était la meilleure de toutes les élèves, et mon grand-père se rappelait encore le jour où elle avait donné sa propre représentation de *Salomé*. Elle avait fait surgir, comme par magie, quatorze voiles les uns des autres, peut-être même quelques-uns de plus, jusqu'à ce qu'il n'en restât plus qu'un seul autour de son corps. Elle ne s'était pas permis d'enlever celui-là à la fin, comme Salomé – à moins que ce soit moi qui ne m'autorise pas cette idée, et qui la laisse au bout du compte drapée de ce voile ultime ?

À soixante-dix ans, elle parvenait encore à s'embrasser les mollets, comme une femme serpent. Toute sa vie durant, elle nous impressionna en faisant tout d'un coup le grand écart au beau milieu d'une promenade en ville. À présent, en buvant mon café, je rougis lorsque me vient l'idée que sa manière de danser me paraissait inquiétante et grotesque... J'avais peur que ses jambes de danseuse ne m'enserrent subitement ; c'était ma mère, tout de même ! Peu avant que cette incongruité ne se fût produite, je l'aurais attrapée par un pied et traînée dans l'appartement. C'était ma mère – on appelle cela un caractère – et elle régnait sur moi sans ménagement.

Même morte, elle exerça encore une influence sur ma vie. Je ne fais pratiquement pas un geste sans sentir qu'elle m'observe, qu'elle m'approuve ou me condamne. Son regard est comme le faisceau d'un projecteur, qui éclaire mes actes avant même que je les aie commis. Lorsque Séraphine me dit quelque chose, j'entends la voix de ma mère qui le commente, comme un écho contradictoire. Mathilde me parle tandis que les autres me parlent. « Il fait humide dehors, restons à la maison », me dit Séraphine, et Mathilde dit en écho : « Même s'il fait humide dehors, ça te ferait du bien de sortir, pour une fois. »

À l'époque où Mathilde vivait encore, le téléphone sonnait souvent le matin – et avant même de décrocher, je savais déjà que c'était elle. La plupart du temps, elle n'avait pas grand-chose à me dire. D'ailleurs, elle le disait : « Je n'ai pas grand-chose à te dire, que veux-tu que j'ajoute à cela. » Elle raccrochait d'un seul coup, comme si elle savait que je ne pouvais pas laisser passer des propos pareils. Je rappelais, elle décrochait et affirmait qu'elle n'avait pas le temps de discuter avec moi, qu'elle devait aller faire des courses. Juste quelques broutilles, parce que cela n'avait aucun sens, disait-elle, de s'embêter avec des restes qui pourrissaient au bout de quelques jours. D'ailleurs, pouvons-nous nous permettre cela à notre époque ?

Lorsque nous faisons l'amour, Séraphine et moi, ce qui arrive assez rarement, je m'interdis de m'imaginer la présence de Mathilde. J'y parviens même de temps en temps, et j'en suis fier.

Je suis le fils d'un ingénieur italien de chez Ferrari, qui eut une brève aventure avec ma mère à la fin des années quarante, lorsqu'elle émigra en Suisse.

Danilo, tel était son nom. Je ne l'ai jamais vu. Peu après ma conception, il retourna auprès de sa famille milanaise. Je sais que Mathilde le ressentit comme une libération ; Danilo était un amant tempétueux et au grand cœur, il couvrait chaque jour sa bien-aimée de cadeaux : fleurs et champagne, boucles d'oreille et souliers. Mais les expériences qu'elle venait de vivre, pendant la guerre, ne permirent pas à Mathilde de s'en réjouir. Cet amour, et les cadeaux qui l'accompagnaient, lui faisaient l'effet d'une consolation, et la consolation lui pesait. Tout comme, du reste, le mot « reconnaissance ». « Je ne veux éprouver de reconnaissance envers personne. » Plus tard, elle se rappelait à peine Danilo et ses boucles grises brillantes – elle se souvenait en revanche des grands bouquets de fleurs qu'il portait devant lui, des cartons de chaussures… Les trois bracelets de nacre et les autres bijoux, elle les vendit pour nourrir Léa et mon grand-père. Parfois, elle parlait de mon géniteur d'un ton amusé et ironique, elle l'appelait « l'Italien ». Elle ne voulut pas prolonger cette liaison avec Danilo. Elle se sépara de lui par une journée ensoleillée, sur le Ponte Vecchio,

alors qu'il était en train de lui acheter un sac en croco-
dile. Il venait tout juste de le payer, elle lui dit « ciao »
et le laissa sur place, son cadeau à la main. Elle ne se
retourna pas, craignant qu'il ne puisse lui courir après
et tenter de la ramener à la raison.

Lors de ma première visite à Florence – j'étais
déjà, à cette époque, un adulte de vingt ans –, je sui-
vais des yeux, sur le Ponte Vecchio, chaque passant
élégant aux cheveux gris. Il y en avait beaucoup, et
j'aurais aimé imaginer que l'un d'eux était mon père.
Je pris en filature un homme qui semblait correspondre à la description. Il pleuvait, c'était le seul à ne
pas avoir de parapluie. Il disparut dans une masse
sombre d'hommes, bondissant d'un pépin à l'autre,
un peu courbé, comme s'il sentait le poursuivant sur ses
traces. Lorsque le soleil surgit de nouveau, l'inconnu
refit une apparition soudaine. Pour finir, Danilo disparut de ma vie, perdu dans le brouillard moite et
brillant qui flottait sur Florence.

Mathilde ne se maria pas, ils vécurent à trois, dans
l'appartement situé en dessous du mien, où je bois à
présent mon café.

Un jour, Mathilde fut expulsée de la piscine municipale, en même temps que trois autres jeunes filles.
Elle était en train de discuter avec une certaine Margot
lorsque trois hommes surgirent avec des bergers allemands et les encerclèrent ; alors Margot bondit sur ses
jambes et pointa son index sur Mathilde, sans que
celle-ci ne le remarque. Puis elle partit en courant.

Quarante ans plus tard une dame se présenta
devant la porte en verre dépoli de sa maisonnette à
Küsnacht ; elle n'osa pas sonner, mais se mit à crier,

de plus en plus fort : « Mathilde, Mathilde ! » Ma mère n'entendait déjà plus rien à l'époque, elle passait une bonne partie de sa journée à chercher son appareil auditif et quand elle avait fourré les petites boules retrouvées dans ses oreilles, elle les en sortait de nouveau en notre présence et s'exclamait : « Je n'entends rien ! Je ne veux rien entendre ! »

Ce fut un hasard si Mathilde Donatey aperçut l'ombre de la femme. Elle ouvrit la porte et reconnut aussitôt Margot, son ancienne camarade de classe, cette même Margot qui, jadis, avait laissé Mathilde en plan, à la piscine municipale d'Offenbach.

Avant même que ma fiancée ne se réveille – il est déjà deux heures de l'après-midi –, je me dépeins la singulière rencontre entre les deux dames :

Mathilde : Qu'est-ce que tu me veux ?

Margot : Mathilde...

Mathilde : Qu'est-ce que tu me veux ?

Margot : Mathilde...

Mathilde : Assieds-toi, je t'apporte de l'eau. Tu es en nage.

Margot : Mathilde...

Mathilde : Bois et dis ce que tu as à dire.

Margot : Pardonne-moi, Mathilde.

Mathilde : Quoi ?

Margot : Pardonne-moi, Mathilde.

Mathilde : Quoi ?

Margot : Pardonne-moi...

Mathilde : Qu'est-ce que je dois te pardonner ?

Margot : J'étais si jeune en ce temps-là...

Suivit une longue pause que Mathilde savoura. Elle ne donnait pas l'impression de vouloir interrompre Margot.

Celle-ci but un peu de son eau, inspira profondément et jeta un regard à la ronde.

« Mon Dieu, mais c'est beau comme tout, chez toi. »

Mathilde : Bois ton eau et fiche le camp.

Sur ces mots, ma mère fila à la cuisine. Elle ne voulait pas voir comment Margot réagissait à sa brutalité.

Margot, pensé-je, vous me faites de la peine ! Moi, ce jour-là, je vous aurais pardonné. Je n'étais pas là, mais j'ai entendu parler de votre rencontre. J'aurais essayé d'apprendre quelque chose sur votre longue vie sans culpabilité. Je vous aurais demandé ce qui vous avait incité à faire tout d'un coup le voyage de Zurich pour demander pardon, tant d'années plus tard, à cette Mathilde que vous aviez trahie dans votre enfance.

Tout est tranquille à cette heure-là. Mais notre rue est généralement l'une des plus calmes.

Le samedi et le dimanche, à la tombée du soir, on entend les enfants qui jacassent sur leur toboggan en plastique, ils ne rient pas beaucoup – peut-être notre quartier est-il peuplé de parents sévères qui ordonnent à leurs enfants : « Ne criez pas sur le terrain de jeu ! » Peut-être tous les parents prennent-ils des tranquillisants, dès le matin, comme moi.

Autour de nous, d'une manière générale, les choses sont devenues très calmes, trop calme. Avant mon anniversaire, bien avant, la vie filait à toute allure, ce n'étaient qu'événements, larmes, encouragements, euphories et courses sans fin. Oui, nous dormions peu, nous ne savions plus quand commençait

la nuit ni quand elle arrivait à son terme. C'était
l'époque du théâtre qui ne s'arrêtait pas, le rideau se
levait, le rideau descendait, nous étions devant, derrière, dans sa poussière – ah, comme nous avons
toussé ! En hiver, les projecteurs de rampe nous
réchauffaient les mains, l'été nous préférions rester à
la fraîcheur de l'ombre, même lorsque nous butions
contre les accessoires…

La lenteur fit son entrée dans ma vie, et tout se
mit au repos. Pendant les trois mois où nous étions
en clinique de rééducation, nous avons fait refaire le
parquet. Rien ne donne à un logement, si modeste
soit-il, un air plus jeune et plus confortable qu'un
parquet brillant de l'éclat du neuf. Les choses se
reflètent en lui, l'air est plus frais lorsqu'il souffle
dans la pièce, mêlé à l'odeur du vernis. On aimerait
rester en chaussettes et glisser prudemment à travers
les pièces, comme un skieur de fond. Le soir, la lueur
des lampes sur le sol refait donne à ces lieux qui sont
les nôtres grandeur et mystère.

Au fil des années, mes appartements sont devenus
plus modestes. Ils exigent moins de mouvement :
raison pour laquelle Séraphine, à peine éveillée, disparaît dans la ville. Elle resurgit le soir, le plus souvent au coucher du soleil. Elle m'apporte alors le
journal du matin, que j'aime bien lire au lit. Je le lui
échange contre celui de la veille, qu'elle n'a pas lu.
Rien de tout ce qui s'est déjà produit ne me rend
aussi nerveux que les annonces, les choses à venir.
Une menace apparue le matin quelque part dans le
monde est devenue réalité le soir, ou bien a été
reportée aux quarante-huit heures qui suivent… Un
chef d'État indien visite à Londres, rentre le soir même

à New Delhi et il retrouve son lit, comme je le fais moi-même.

En dessous, donc, vivaient mon grand-père, son épouse Léa et ma mère, qui passèrent longtemps sous silence leur passé commun. À leurs mouvements, leurs regards, leurs voix, on comprend combien ces trois personnes avaient vécu la guerre différemment.

Dans le premier cas, ce fut dans un camp, non loin de Marseille – le passé de Georg : de celui-là, nous ne savons pas grand-chose. Mon grand-père perdait la mémoire et, lorsqu'il l'avait encore, il n'avait pas raconté grand-chose de tout cela, même à son épouse et à sa fille. Pour un juif, ce fut pourtant une très singulière captivité : c'est en tant qu'Allemand que Georg fut interné, et c'est seulement bien plus tard qu'on l'identifia comme un Allemand pas tout à fait pur. Et puis il y avait le passé de Léa : une dame raffinée qui s'accrochait à sa fille, qui vivait d'elle et par elle. À tout cela s'ajoutait le passé énigmatique de Mathilde, qui, même pour elle, demeurait inconnu, que j'invente par empathie, de la même manière que tout, dans ce récit, est proche du plausible et pourtant pas dans le réel.

C'est par pure indignation que mon grand-père a perdu la mémoire. Il mélangeait tout, les hommes, les pommes, les sommes et les albums. La seule lueur, dans son cerveau, était celle émise par les années avoisinant la Première Guerre mondiale, il fut un héros à cette époque, et il l'est demeuré, je vous prie, y compris de nos jours, dans la modeste et paisible Suisse. Sa maladie a tellement progressé qu'il reste assis devant son petit poste de radio – qui brille par un œil vert – et attend un discours de Hitler, « à huit heures pile » ! On entend dans l'appareil l'ouverture de *Nabucco*, et il dit : « C'était une musique de défilé ! » Il ne parlait jamais à Léa, pas même avant leur fuite. Ils étaient allongés l'un à côté de l'autre dans le lit, et malheur si l'un d'eux touchait l'autre par mégarde. Ils se disaient, dans la pénombre : « Ah là là… », et je le leur ai repris, jusque dans le ton. On ne sait même pas que l'on gémit, cela sort tout seul, depuis la nuit des temps. « Ah là là… »

Le père de Léa était le plus grand boulanger des Flandres. Sa fille était donc née dans le confort. Elle n'avait jamais envisagé de travailler, elle se sentait magnifiquement bien dans son oisiveté (ma mère à moi la traitait de fainéante : « Ma mère est une cossarde »).

Un jour, la famille Graf, qui n'avait rien à craindre, avait frappé à leur porte. Au lieu de leur dire directement qu'il était grand temps pour eux de fuir Offenbach, cette petite ville au cœur du Troisième Reich, ils s'excusèrent auprès de mes grands-parents pour avoir mal évalué la situation politique dans le pays. Mon grand-père, qui savait tout cela et n'avait pourtant jamais voulu envisager de prendre la fuite, laissa les voisins à la porte avec leurs explications embarrassées. Mathilde, elle, avait déjà fait ses bagages et se contenta de crier : « Bruxelles ! »

Il fallut arracher Léa à son radiateur, auquel elle aimait tant s'adosser… « Non ! cria-t-elle. Il faudra m'emporter avec le radiateur… Je reste à Offenbach. »

Son mari, mon grand-père, le père de Mathilde, ma mère, l'attrapa par sa chevelure fine et déjà grisonnante, et la traîna à travers l'appartement avant de lui faire descendre l'escalier. Puis il la poussa dans la voiture.

Je suis seul dans l'appartement. Séraphine est en train de faire des courses, ensuite elle a rendez-vous avec une amie. J'ai peur qu'un jour elle ne revienne pas, qu'elle en ait assez de moi. Rien ne permet de le conclure, mais cette harmonie me rend méfiant : il y a entre nous une symétrie qui appelle quelque chose que je ne peux définir, quelque chose qui soulève cette tranquillité avec la force d'un tourbillon.

Cela pourrait aussi être un accident. Le téléphone sonne.

« Je suis bien chez Monsieur Donatey ?

— Lui-même.

— Votre épouse s'appelle bien Séraphine Donatey, née Weber ?

— Que se passe-t-il ?

— Un moment, je vous mets en communication avec le Dr März, des urgences.

— Dr März à l'appareil, je parle bien à M. Donatey ?

— Qu'est-il arrivé à mon épouse ?

— Eh bien… une sorte d'asphyxie, nous l'avons gardée ici. »

Oui, c'est à cela que je pense en premier.

Une autre intuition : elle vit avec un autre homme en même temps qu'avec moi. Il est plus jeune, pas forcément de chez nous, peut-être italien ou espagnol. Il est malade, par exemple, il ne lui reste plus longtemps à vivre, il a les yeux luisants. Séraphine éprouve de la compassion pour lui, et il aimerait qu'elle me quitte pour le rejoindre. Il ne va pas bien et ne peut lui promettre aucun avenir, mais il ne l'exprime pas vraiment. Parfois, lorsqu'ils ont fait l'amour et qu'il est fier qu'elle ait envie de rester plus longtemps auprès de lui, il commence à tracer avec elle des projets d'avenir commun. Elle prend les rêves plus au sérieux que lui, elle renoncerait aussitôt à tous ses vêtements, à tout ce qui lui appartient. En finir maintenant avec moi, sur-le-champ, et ne m'appeler – pire, ne m'écrire – qu'au moment où elle serait arrivée avec ce jeune homme dans un lieu très lointain, en dehors de l'Europe, sans doute, pour commencer une nouvelle vie, une existence mieux adaptée à son âge et à ses envies. Elle soignerait ce jeune homme, peut-être même lui rendrait-elle la vie plus douce, que sais-je ? Ce sont les pensées qui m'assaillent, elles prennent des contours, des couleurs, des voix, des lieux, des odeurs. Je n'ai pas la force de retenir Séraphine loin de cet homme imaginaire, je ne trouve aucun argument pour le faire, je me suis trop bien dépeint sa fuite, comme si j'y avais assisté en personne, invisible. Ce matin, lorsqu'elle a franchi la porte de sortie, je lui ai couru après, une veste à la main, mais elle a été trop rapide, la veste est tombée par terre, juste derrière ses épaules, sans qu'elle ait pris conscience de mon geste de courtoisie – ou bien non, elle l'a remarqué et elle a filé en vitesse. Et si elle n'est pas partie rejoindre ce jeune homme malade, elle était tout de même heureuse d'échapper à ma présence, même si c'était sans but, juste pour être un moment loin de l'homme vieillissant que je suis, l'homme qui fait seulement semblant de lui faciliter la tâche de vivre avec lui.

Lorsque je l'attends ainsi, tout seul, je pourrais me lancer dans quelque chose, ou bien le terminer, ou juste le commencer. Mais c'est impossible : pendant trente ans j'ai été le collaborateur, l'organisateur d'un artiste de théâtre – l'un de ceux qu'on appelait des metteurs en scène ; puis ce métier a disparu. Je veux dire que personne ne peut plus rien se figurer sous ce nom-là. On peut trouver la définition de ce terme sur Internet, en tapant « professions antérieures à 2014 ».

Une chose à peine compréhensible, et pour laquelle on trouve aussi peu de mots que « mise en scène », ne vit que par le souvenir de spectateurs qui percevaient la différence entre une composition fortuite et une composition donnant l'impression du hasard. Je n'ai jamais trouvé les mots pour définir la profession de mon employeur, bien qu'il n'ait cessé de me réclamer de brèves notes sur son métier en voie d'extinction. Un peintre, un sculpteur, ou encore un écrivain : tous peuvent prouver, en montrant leur création, que celle-ci est bien réelle, qu'elle est bien là, quelque part, sur la terre… Un jour, le metteur en scène était très loin de ses comédiens, un autre il était tout près d'eux et de leurs corps : il tentait de les guider, de les éloigner les uns des autres, et d'influencer leur expression. Il regardait ce qu'un acteur dissimulait, pour le comprendre de l'intérieur. Il voyait souvent la scène comme une assiette que l'on tenait en son milieu au bout d'une baguette et répartissait les acteurs en veillant à garder l'équilibre. Il se demandait quelle distance eux, les comédiens, pouvaient respecter les uns par rapport aux autres pendant un laps de

temps donné, et à quel moment ces distances se déli-
teraient. Le metteur en scène avait la pièce à jouer dans
le sang, parfois aussi dans son cerveau, et il tentait de
faire raconter les histoires de telle sorte que les spectateurs – au moins pour quelque temps – n'aient certes
pas l'impression qu'on avait changé les choses autour
d'eux, mais tout de même les considèrent un peu différemment ; il n'était pas nécessaire qu'ils rapportent
quoi que ce soit chez eux, il suffisait que la soirée les
ait émus un peu émus. C'est ce que disait Nock, et je
tentais toujours de le comprendre, moi aussi.

Mon métier, celui qui accompagnait le travail de
mon supérieur, portait un nom simple : « collaborateur de » (Gaspard Nock).

Mise en scène : Gaspard Nock, lisait-on dans le
programme, collaboration : Donatey, conception du
programme : Donatey (programme qui pouvait,
selon le cadre financier de la production, prendre la
forme d'une brochure ou d'un simple cahier).

Gaspard Nock est mort à Ischia.

Comment puis-je seulement commencer quelque
chose si cela n'existe pratiquement plus, moi qui fus
le collaborateur d'un homme qui a exercé cette profession éteinte et a lui aussi cessé de vivre ?

Qu'ai-je seulement fait qui eût justifié ma qualité
de collaborateur ? De quelle humeur allais-je me
coucher le soir ? Comment pourrai-je me justifier, au
jour du Jugement dernier, si l'on me demande :
Qu'as-tu fait de ta précieuse vie – même si j'estime
qu'il est malvenu d'apporter de telles précisions. En
tant que collaborateur à la mise en scène, ma mission
était d'entretenir la bonne ambiance entre mon
maître, en bas, et les comédiens anxieux, en haut, sur la

scène, de ne jamais la laisser diminuer. Si l'ambiance était mauvaise tout de même, c'est que je n'étais pas là. Le soir, j'allais me coucher tôt et je me levais de bonne heure pour réfléchir à ce qui m'arrivait. Les juges du Jugement dernier se perdront en conjectures sur mon existence, ils n'auront sans doute jamais vu d'hommes à la fois aussi dépourvus de conscience et emplis d'inquiétude. Je remplace mes actes par des effleurements. Je laisse les fruits de l'imagination venir vers moi. Certains naissent dans ma poitrine, dans mon âme, c'est plus qu'une journée de travail : ce sont des soupirs déçus, une éternelle alternance entre le lever et le coucher, des grimaces devant le miroir et l'attente du retour de Séraphine, pour autant qu'elle ne se sera pas fait renverser dans la rue ou qu'elle n'aura pas offert à son ami malade trois heures de la soirée qui nous appartient…

Je pourrais simplement appeler Séraphine, lui demander de reporter à une autre fois son rendez-vous avec son amie. D'ailleurs, je le lui dis : « Laisse tomber les courses, nous ne mangeons jamais grand-chose ! Biscotte et yaourt, comme mon grand-père, Léa et ma mère Mathilde après la guerre. »

Après avoir connu la faim pendant leur fuite, ils ne furent plus jamais capables de manger. Lorsque j'étais petit garçon, ma mère me servait le repas à contrecœur matin, midi et soir. Elle allait chercher de la salade de pommes de terre dans le réfrigérateur et faisait glisser le petit plat sur la table en laissant échapper un : « Tiens, si vous voulez manger ça… »

Elle ne mettait pas vraiment la table, les verres à vin étaient au milieu, pas devant les assiettes, chacun devait prendre son couvert et l'installer lui-même, puis faire sa vaisselle dans l'évier, et le repas était terminé.

J'ai repris cette tradition, parce que le temps passe trop vite. Je n'appelle pas Séraphine, et j'essaie de réfléchir à son propos jusqu'à ce qu'elle revienne.

Qu'as-tu fait pendant tout ce temps où j'étais dehors ?

— Pensé à toi.

— Tout le temps ?

Tu es la première femme avec laquelle je puisse voir et sentir toute chose autour de moi sans que tu m'en voles une partie. Il suffit que je me rappelle notre promenade au bord du « lac de Vierwald-stadt », en mars, lorsque j'ai été doté d'une nouvelle hanche, qu'il m'a fallu l'expérimenter en marchant, je sais – je me rappelle – que tout autour de nous, la lumière, la température, les passants, le son de la ville qui s'éloigne, je sais que tout cela agissait sur moi, sans limite, sans déguisement…

Tu aurais donc aussi bien pu être tout seul !

Justement : seul, sans personne pour m'accompagner, rien entre moi et l'extérieur… tu fais cela à ma place.

C'est à la vie de couple que j'ai le plus réfléchi. J'étais assis à côté de mon metteur en scène, il gesticulait à l'attention de la scène, se tenait debout sur un fauteuil rabattable qui, de temps en temps, se refermait à ses pieds, et lançait aux comédiens : « Oui, c'est ça ! C'est ça ! », et je partageais son avis : « C'est ça, bravo ! », mais en réalité mes pensées étaient ailleurs, toujours autre part que là où on les attendait, que là où on les réclamait. Quand ai-je à la fois pensé et fait quelque chose ? Jamais, Monseigneur...

J'ai gâché l'unité tant désirée entre l'âme et l'esprit ! J'ai passé la majeure partie de mon existence dans la dissonance entre la manière dont j'ai agi et les nombreuses réflexions qui me parcouraient trop vite.

Je dis « vie de couple », mais j'ai aussi vécu sous la tutelle de beaucoup d'êtres indépendants de moi, amis, bonnes relations, groupes : ils m'ont défini, dirigé, en tout cas ils ne m'ont jamais laissé libre et indifférent, si bien que toute ma vie j'ai été sous influence.

Prenez par exemple Ingo Licht, anachorète et sculpteur. C'était le plus grand sculpteur de notre temps, il vivait dans un village en Bretagne et construisait pour ses objets gracieux des maisons devant lesquelles on se postait pour voir ses œuvres par une fenêtre étroite, sans jamais pouvoir les toucher.

C'étaient des totems de bois ou de bronze ; l'un d'eux s'élevait si haut que l'on n'en voyait plus le bout lorsque le ciel était bas et nuageux. Un autre se trouvait sous la terre, protégé par un large plafond de verre. On pouvait marcher au-dessus.

Parfois il me rendait visite à Zurich, mais il ne voulait pas venir me voir dans mon appartement. « Quand je sors de chez moi, disait-il, ça n'est pas pour aller m'enfermer ailleurs. »

Je laissai Ingo Licht m'inviter dans le somptueux restaurant de la Kronenhalle.

« Et si Séraphine m'accompagnait ? » demandai-je encore à Ingo Licht, timidement, en espérant qu'il répondrait : « Bien entendu. »

« Seul avec toi, je préférerais...

— Ça vaut peut-être mieux comme ça… »

J'étais mécontent de laisser Séraphine toute seule, mais fier d'avoir un tête-à-tête avec Ingo Licht.

Mais comme Séraphine entendit à moitié cette conversation, elle se hâta de me libérer de ce dilemme :

« Je trouve qu'il vaut mieux que tu sois seul avec ton ami. Vous ne vous êtes pas vus depuis longtemps, et comme vous viendrez sûrement à parler de moi, je préfère ne pas être là. »

J'insistai pour qu'elle m'accompagnât, mais je ne fus pas assez convaincant pour lui rendre appétissante l'idée d'une rencontre avec Ingo Licht.

Entre-temps, le sculpteur passa un coup de téléphone : « Emmène-la, si ça n'est pas possible autrement. »

Je traduisis, à l'attention de Séraphine : « Il veut absolument te voir ! » – ce qui permit à celle-ci de refuser le dîner, fièrement et de son propre chef.

Il me fit attendre un moment, comme toujours, jusqu'à ce qu'il arrive, j'eus donc le temps de m'exercer à prendre une pose décontractée, et même plusieurs postures de ce genre, celle dans laquelle il me trouverait après une si longue attente. Je regardais par exemple au loin, l'air perdu, tenant d'une main une bouteille d'un vin blanc dont je savais que lui l'aurait commandée, mais qui ne me serait jamais aussi agréable qu'un de ces vigoureux bordeaux abhorrés par Ingo Licht.

Lorsqu'il fit son apparition, toutes les personnes présentes levèrent les yeux, magnétisées par son allure à la fois détendue et confiante. Ingo Licht était un nom dans le monde de l'art, il écrivait en outre depuis quelques années des poèmes que l'on citait dans le même souffle que ceux de René Char.

À chacune de ces rencontres, j'étais obligé de m'émécher un peu afin que mon admiration apparût comme un jeu, légèrement sarcastique et révocable. Mais elle restait maladive et assez embarrassante. C'était aussi la raison, autant le dire maintenant, pour laquelle je n'insistais pas pour que Séraphine fût présente.

Il s'arrêta un bref instant devant moi.

« Quelque chose a changé en toi, mon vieux.

— Ah bon. (Je haussai les épaules.)

— Oui, tu as franchement vieilli… »

Il se mit à rire, ôta son manteau clair, sortit son journal de sa poche et le jeta devant lui, à côté des couverts.

« Si tu dois aller aux toilettes tout à l'heure, je continuerai à lire l'article sur la Géorgie.

— Pourquoi ne le finis-tu pas tout de suite ? demandai-je sans ironie.

— Allez, on commande ! De quoi as-tu envie, je t'invite, pauvre bougre. »

Une fois de plus, je n'avais pas d'argent sur moi ; je pris tout de même le risque de répondre :

« Non, cette fois, c'est mon tour. »

Fort heureusement, il ne m'entendit pas. Nous fîmes un repas de rois. Pour arriver à saisir la personnalité de son interlocuteur – moi, en l'occurrence –, il lui fallait une bouteille de bourgogne blanc. Comme je le considérais comme un maître et me trouvais sous son influence, je bus la même quantité que lui, ce qui n'eut d'autre résultat que de me faire tout voir encore plus flou, d'une part, mais dans une très grande clarté, de l'autre. J'estimais que je devais suivre chacun de ses conseils ; mieux, si je devais trotter derrière lui jusqu'à ma mort, je sortirais certainement en beauté du pétrin où nous collent le vieillissement et la perte de mémoire. Il me parla de sa vie dénuée d'événements et insista sur le fait qu'il cherchait seulement « les petites choses ». « L'art, c'est de la recherche », disait-il.

Les objets qu'il travaillait ne changeaient pas, estimait-il, ou bien de manière très minime. « Lorsque ma femme vient me rendre visite dans mon atelier, après des semaines, elle ne remarque aucune transformation. Je suis le seul à pouvoir voir ce qui est en genèse. Mon travail est stupide, oui, un travail stupide qui dure pendant des semaines, des mois. »

Il se vanta de ce qu'aucun événement n'agitât sa vie. Je me sentis obligé d'admirer sa modestie. « Eh oui, chez nous, au théâtre, il se passe toujours quelque chose… », fis-je, embarrassé.

Il répondit après un moment de silence très pesant : « Ah oui… les gens de théâtre ! » Puis, du coq à l'âne : « Je me fiche totalement du jugement des autres. »

À la fin d'un repas comme celui-là, il définissait la distinction entre vanité et orgueil : « Tous mes collègues sont vaniteux, je suis orgueilleux, et je l'assume. »

Séraphine fit son apparition plus tard, après le repas, pour me ramener à la maison. Ingo Licht l'invita à prendre place à côté de lui, posa sa main sur son genou comme si, désormais, elle lui appartenait. Je n'aime pas raconter que j'en fus un peu fier, que ma jalousie se mua aussitôt en son contraire. Séraphine me dévisagea, étonnée. Et je m'endormis sur la table.

Lorsque Ingo Licht était encore de ce monde, je pensais à lui chaque jour. J'enviais son existence retirée, et voilà que cette existence s'empare de moi aujourd'hui, contre mon gré.

Piotr était le plus lent de mes amis, et maintenant qu'il ne vit plus, il me semble qu'il n'y a plus d'ajournement, tout va de l'avant, personne ne parvient à rester à la traîne, à marcher à reculons comme le faisait mon amie Cynthia, une autre des défuntes auxquelles je songe lorsque je m'y laisse aller, pendant que Séraphine dort encore ou lorsqu'elle a déjà filé en ville. Piotr, s'il était là, serait curieux de voir la suite. Il était un peu plus âgé que moi, il vivait à Paris, la ville où j'aurais tant aimé vivre, et c'est aussi là qu'il est mort. Il repose là où Proust, Balzac, le réalisateur turc Yilmaz Güney et pour finir Jim Morrison nous ont reçus lorsque, réunis pour un week-end à Paris, nous nous rendîmes au cimetière afin de déposer un grand bouquet de fleurs sur la tombe de Piotr.

Le visage de Piotr était plat, presque dépourvu de nez et d'une singulière blancheur. Ses yeux regardaient depuis la profondeur et brillaient pourtant d'amusement envers tout ce qui est terrestre : il ne souffrait jamais de manière visible. Il avait perdu son bras droit dans un accident de train, mais je ne sais rien de précis sur cet épisode. Sur le volant de sa voiture était fixé **un** pommeau, incrusté d'argent et d'ivoire, lui permettant de conduire de la main qui lui restait. Lorsqu'il pilotait sa Citroën à travers la ville, on avait une impression de facilité et de douceur, comme si le véhicule avait été dirigé depuis un satellite. Ce bras manquant donnait à mon ami une certaine élégance : ce défaut physique devint une vertu sociale, il appelait à la prudence, et son entourage cédait respectueusement à cette aura aristocratique. Avocat fameux, il jouissait d'une grande estime, peut-être aussi à cause de ce défaut qui lui donnait une supériorité sur ses adversaires. Tous ses costumes, noirs ou anthracite, étaient taillés sur mesures et n'avaient qu'une seule manche : on aurait dit qu'il s'était jeté à la va-vite une veste sur l'épaule, de telle sorte qu'un étranger ne pouvait pas deviner que Piotr était manchot.

J'avais toujours été pauvre ; mon ami Piotr, lui, laissa des millions à ses héritiers. Je lui rendais parfois visite à Paris, où il m'invitait à l'hôtel L'Aiglon, à Montparnasse – il était son conseiller juridique et à ce titre membre de la direction. J'avais une chambre avec vue sur le cimetière Montparnasse ; souvent, je me tenais à la fenêtre et je regardais de l'autre côté.

Parfois Piotr venait accompagné de sa fille Madeleine. On lisait sur son visage une amertume qui visait le monde de la bourgeoisie dont elle était issue. Elle dissimulait son origine sous des convictions communistes et menait la vie austère que cela impliquait. La haine qu'elle éprouvait pour son environnement familial avait donné des traits âpres à son visage. Elle s'exprimait en phrases brèves et lorsqu'elle finissait par insister sur l'une d'elles, c'était pour annoncer la conclusion d'un entretien. C'était à l'autre de combler le silence qui s'ensuivait.

Lorsque ses deux parents furent morts, elle devint subitement douce, son visage s'arrondit, elle se fit plus abordable pour les amis de son père. Comme si l'esprit de ses parents s'était infiltré dans son corps et avait éveillé à la vie une autre créature. À moins que tous deux, dans leur perfection, ne l'aient tout simplement empêchée de vivre, elle, leur fille unique. Je ne sais pas pourquoi je parle ici d'une personne qui, au fond, m'était indifférente. Et pourtant si, je le sais : parce que Piotr était mon meilleur ami et qu'elle était son enfant.

Nous discutions souvent de politique, Piotr et moi – à la maison, dans son salon, dans les brasseries parisiennes, mais aussi au téléphone. Nous faisions des pronostics, du type : « Ce président pourrait tenir le coup s'il ne commet pas d'erreur. » Parfois nous faisions semblant d'avoir des opinions opposées, pour maintenir le cours de la discussion – par exemple à propos des véritables intentions de Trotsky avant son assassinat au Mexique. Lorsque j'avais seize ans, nous étions tous deux adeptes du trotskisme. À un moment donné, nous nous détournâmes tous les deux de la révolution permanente et, comme nous rêvions encore d'un monde pacifique et apaisé, nous décidâmes de fonder une revue. Elle s'appelait *Que faire ?* Mais à la différence de la publication homonyme de Lénine, le titre de celle-là avait une note pessimiste, on y devinait un haussement d'épaules : Que faire ? – Strictement rien.

Le père de Piotr avait vécu dans le Caucase jusqu'à ce que la première grande révolution éclate. Il s'enfuit de Russie avec son argent et ouvrit à Paris un grand commerce de cuir. Jusqu'à la fin de sa vie, il correspondit avec le philosophe russo-britannique Isaiah Berlin.

Tout en Piotr était tranquille comme un fleuve large et régulier : le ton de sa voix, ses descriptions interminables, qu'elles aient concerné un événement historique ou une petite excursion à Fontainebleau. Tout en lui restait aussi lent qu'un adagio de Mozart dirigé par Otto Klemperer. Il pouvait raconter une histoire de tortue retournée sur le dos et, en l'agrémentant d'un brin d'épopée, en faire un texte digne de la collection *Contes et Légendes* que nous lisions dans notre enfance ; il déclamait ses tirades haineuses contre la réforme de gauche comme s'il se fût agi d'un poème de Pouchkine. Le conservateur sexagénaire que je suis juge mon ami Piotr réactionnaire, insupportablement réactionnaire. Lorsque l'on vit Charles de Gaulle apparaître sur le téléviseur noir et blanc, en 1968, lorsqu'il tint son célèbre discours contre les trublions de mai, Piotr avait bondi de son fauteuil, levé le bord de la main jusqu'à sa tempe droite et fait un salut militaire en s'exclamant : « Merci, mon Général ! » Et lorsque, aux États-Unis, un homme politique de couleur se porta candidat à la présidence, l'Ukrainien commenta, livide : « Ils vont avoir besoin d'un nouvel Harvey Oswald... » Avec d'autres amis — je me refusais à m'engager là-dedans — il lançait des paris sur la victoire des républicains. « Dans un pays conservateur, on ne peut pas promouvoir un politicien progressiste. Le cas échéant, il devient lui aussi conservateur, mais sans le savoir. »

Nos disputes nous maintenaient en vie. Un jour, nous ne nous adressâmes plus la parole, cela dura deux mois, chacun se plaignait de l'autre auprès de son épouse, laquelle attisait la querelle autant qu'elle le pouvait. Notre amitié excluait nos épouses respectives. Et elles se vengèrent de cela, comme toujours. Si nous nous étions de nouveau rencontrés un matin,

sur le Champ de Mars par exemple, des mains fémi-
nines invisibles nous auraient attrapés par le veston
pour nous séparer, afin de pouvoir nous garder pour
elles, nous, leurs maris.

Lorsqu'il est mort, Paris était en proie aux plus
grandes grèves depuis 1968. Tous les trains étaient
arrêtés. Il aurait pu me pardonner de ne pas faire le
voyage pour son enterrement : prendre l'avion lui
faisait aussi peur qu'à moi-même.

Je continue à regarder par la fenêtre qui donne sur
la Seminarstrasse. Le premier à m'apparaître est mon
patron, celui qui mourut à Ischia, mon mentor, mon
plus vieil ami, l'homme que j'ai servi mais aussi
conseillé. Je ne sais pas s'il connaissait cette rue, ma
rue. Au fil de ma longue observation il l'arpente d'un
côté et de l'autre, parfois jeune, parfois d'âge moyen,
puis plus âgé, le dos profondément courbé, il ne peut
plus rien voir d'autre que le pavé de la rue où il
marche. Il a toujours eu des problèmes de dos, sa
scoliose l'a plié vers le sol pendant huit décennies, et
c'est dans cette position qu'il a fini par diriger ses
mises en scène. Moi, je ne peux plus me pencher en
avant ; lui n'a cessé de se voûter.

Ce matin-là, comme je suis seul, il ne cesse de
monter les escaliers. Ce sont peut-être en réalité les
voisins qui vont faire leurs courses. Ce sont eux qui
composent dans mon imagination le son de sa présence – une présence qui était l'essentiel pour moi,
bien plus importante que Séraphine et toutes celles
qui l'avaient précédée – et depuis qu'il est mort, lui,
l'unique être humain que je jugeais éternel (et même

immortel), je me demande pourquoi je reste. Qu'ai-je d'autre à faire ici que d'aller jusqu'au bout de ma vie ? De réfléchir à mon grand-père, à son épouse, ma grand-mère Léa, à quelques amis et amies, à les contempler en moi, à faire revivre des amitiés défuntes, c'est là mon exercice contre la résignation – vous le connaissez bien ! D'ici à ce que je recommence à penser à Nock, voilà mon esprit traversé par une réflexion sur la manière dont on voit les morts quand on les observe après avoir franchi le stade du deuil. Je n'ai vu mes amis qu'au moment où ils n'existaient plus. Je voyais leur occiput, leur dos, j'appréhendais leur âme, leur action, j'entendais tout ce qui résonnait dans leur voix. C'est seulement maintenant qu'ils m'apparaissent comme un tout, et bien plus encore, parce qu'ils ne sont plus en relation avec moi, parce que je ne peux plus les déformer d'aucune manière, les restreindre ou faire volontairement abstraction des qualités qui me dérangent en eux. Le ou les morts amis deviennent pour la première fois des personnes à part entière, libres, indépendantes de mon observation limitée, des personnes que je suis en droit de me représenter en dehors de ma sphère.

Peut-être aurais-je plus souvent laissé des êtres vivants agir ainsi sur moi, dégagés de mon jugement.

Il en va autrement, tout autrement pour Gaspard Nock ! Au fil des ans, je suis devenu Gaspard, et même s'il le nierait aujourd'hui, alors qu'il se promène dans la Seminarstrasse, il est devenu une partie de Donatey. Je lui ai survécu. Il continue à vivre en moi. Les questions, par exemple sur le retour tardif de Séraphine, c'est moi qui les lui pose ; et ses yeux morts se raniment un moment pour me donner une réponse en fonction de laquelle je me retrouve ou bien tranquillisé, ou bien plongé dans une profonde inquiétude. Mieux, il veut continuer à m'imposer ses exigences, et pour que je ne me sente pas tout seul, j'approuve même certains compromis ! Il fait les cent pas dans la rue, et nous parlons sans nous regarder : moi par la fenêtre, lui depuis la rue.

Moi : Tu es mort de bonne heure.

Lui : Il était grand temps... J'aurais encore pu tenir, mais mon infirmité était trop grande !

Moi : Tu nous faisais encore rire.

Lui : Il n'y avait plus que ça, je savais bien vous distraire, mais tout me faisait mal, ma nuque, mes jambes, mes gencives, je voyais des silhouettes, plus de visages.

Moi : Comment va Piotr ?

Lui : Avec son incroyable don pour la vision à longue distance, il voit le monde tenir debout, et cela lui cause une certaine satisfaction. Dans sa perspective, les foyers de révolution sont plus modestes, le contrôle sur les insatisfaits plus raffiné. Il ne lit plus de journaux, boit un liquide qui n'existe que là-bas, dans l'au-delà. L'eau insécable de Spinoza.

Moi : Et l'agonie, c'était comment ?

Lui : On ne peut que louer la médecine moderne. À côté de mon docteur, entouré par mon enfant et ma femme, j'ai senti pour la première fois à quel point s'endormir peut être une source de beauté, de chaleur, de bien-être. La peur a disparu de mon corps, et pour un bref moment, je me suis dit que j'étais un océan tranquille réchauffé par le soleil. Je ne savais plus qui j'étais, j'étais peut-être, pour la première fois, tout le monde ou personne...

Je l'écoute, crédule ; lorsqu'il était en vie, tout ce qu'il disait et faisait agissait en moi, le bon comme le mauvais. Je suis certes, enfin, le héros de cette histoire, mais mon metteur en scène était le héros de ma vie, et désormais il est parfois le héros de mes souvenirs et de mon imaginaire.

Tant de choses inattendues me sont arrivées, toutes liées à ma dissymétrie, que la mort me bondira dessus, encore plus imprévisible qu'elle ne l'est par nature. Ce sera plus la conséquence de mon caractère que celle d'une maladie. Par exemple, je veux rendre sa liberté à Séraphine, et pour me tranquilliser en le faisant, je prends une dose trop élevée de morphine — mon unique remède contre le mal de dos.

Lorsque je glisse un peu — à présent, je porte des savates à semelle lisse — sur notre parquet de la Seminarstrasse, j'entends que l'appartement d'en dessous, où mon grand-père vivait avec son épouse et ma mère, n'est toujours pas loué. Au bruit, il est inhabité, et recèle encore la vie passée de mes aïeux. Léa et Mathilde commencèrent par se réfugier à Bruxelles. Puis les Allemands, toujours rapides, y firent leur entrée. Léa et Mathilde partirent pour la France. « Et ton père ? » demandais-je à Mathilde. Je n'ai jamais obtenu de réponse intelligible. En tout cas — je n'ai jamais su quand ni comment —, mon grand-père a été arrêté en France, en tant qu'Allemand. Titulaire d'un passeport de cette nationalité, il était considéré comme un espion. On l'envoya dans un camp. Mathilde et sa mère se cachèrent chez des paysans, dans un petit village des Pyrénées où on les accueillit aimablement... Mathilde travailla aux champs pendant six mois. Dans la hâte du départ, leur argent était resté en Allemagne. Léa, elle, restait debout près du poêle de leurs bienfaiteurs.

Pendant longtemps, elle ignora ce qu'était devenu mon grand-père ; comme c'est à cette époque qu'il commença à perdre la mémoire, nous ne savons toujours pas aujourd'hui ce qu'il lui arriva en ce temps-là.

Georg lui-même me fit un récit un peu trouble où il confondait les lieux et les années, mais d'où il ressortait qu'une tendinite l'avait conduit à l'hôpital et la Gestapo était venue l'y prendre. Il avait, racontait-il, vu leur voiture par la fenêtre de sa chambre, s'était habillé à toute vitesse et avait descendu l'escalier à cloche-pied. Lorsqu'il avait rencontré les trois policiers de la Gestapo qui montaient vers lui, il leur avait demandé s'ils étaient bien à la recherche du Juif Untel. Et précisé que son lit se trouvait au troisième étage, dans la chambre numéro tant. Pendant que ces messieurs grimpaient les marches à sa recherche, lui s'était faufilé vers le bas pour leur échapper, et c'est ainsi qu'avait réussi sa première évasion.

C'est peut-être seulement après cet épisode qu'il fut capturé par les Français et envoyé en camp. Peut-être s'agit-il aussi de l'histoire d'un autre membre de la famille. Peut-être les événements de cette époque ont-ils pris leur place dans mon cerveau avant que je ne les attribue arbitrairement à tel ou tel individu… Tant de personnes ont vécu des choses analogues à cette époque : les faux papiers, les cachettes, l'attente du visa pour l'Amérique, le retour en prison et la déportation, la mort, le salut. Il m'arrive parfois moi-même de parcourir notre appartement à la recherche d'une cachette, m'imaginant que je vis à l'époque de Mathilde, de Léa et de Grand-père.

Mes soixante ou soixante-neuf ans m'incitent à remâcher. En principe, il n'y a rien de neuf à raconter. Je ne peux plus lire. Et ce que j'ai déjà lu, je l'ai oublié. Il me reste mes promenades, le café du matin – si je le bois de si bon cœur, c'est parce qu'en écoutant un enregistrement de *L'Étranger* lu par Camus en personne, je suis resté suspendu à un passage où Meursault raconte à quel point il aime boire du café au lait ; mes déjeuners et mes dîners avec Séraphine, parfois tout seul, et très rarement avec ses relations, qu'elle ne me présente pas si volontiers. Elle a un peu honte de moi. C'est son droit, car dès que quelqu'un est assis chez nous, je parle tant de moi et m'enquiers si peu des autres – je manque de curiosité. Plus on croit sentir son « Moi », plus l'entourage devient nébuleux. Et c'est lorsque je peux non seulement raconter, mais jouer à mes amis un épisode vécu que je me sens le mieux. C'est la manière la plus prometteuse d'entraîner ma mémoire : me métamorphoser en personnes que j'ai connues et me rappeler, à travers elles, ce que j'ai vécu. À travers ceux que j'imite, je me vois tout d'un coup tel que j'étais lorsque j'étais encore jeune et sûr de moi.

Une fois, j'ai tenté de jouer un coq, une autre le tilleul de notre jardin, le toboggan en plastique. De Gaspard Nock, j'ai appris, pendant notre époque au théâtre, que l'on peut aussi jouer des objets, de la même manière que Chardin a peint des pommes et tout un couvert. Mais je ne veux pas exagérer, ces séances n'ont pratiquement plus lieu : depuis quelques mois, j'ai les plus grandes difficultés à me déplacer.

Je sais que si ceux qui accompagnent mon existence, hommes ou femmes, s'éloignent de moi, ce sera en raison des plaintes que j'émets à propos de mon corps. Non pas à cause de ma maladie incurable du dos, non, plutôt parce qu'elle est devenue le sujet entre tous, parce que tout ce que j'ai à raconter est lié à cette douleur. Je peux à peine respirer sans sentir chacune de mes vertèbres, elles parlent avec moi et à travers moi.

Et pourtant je ne marche pas courbé, oh non, hélas non : depuis dix ans, une tige de fer étaie ma colonne vertébrale et ma cage thoracique, si bien que je ne peux qu'avancer tout droit, à l'exacte perpendiculaire du sol. Cela me confère une autorité qui ne correspond en rien à mon âme. Pour quelques-uns de mes amis, je donne donc plus l'impression d'un robot que d'un homme voûté par les ans : je me retourne lentement, comme les personnages grandeur nature que l'on voit dans le carillon de Berne et dans quelques églises flamandes. Je dois plier lentement mes genoux vers l'avant lorsque je veux m'asseoir ou me coucher, tout cela paraît très grandiloquent, mais il serait insupportable de ne rien en dire à Séraphine et de faire comme si une exclamation, un « Ah ! » par exemple, n'était pas un cri de douleur, mais l'expression de l'enthousiasme inspiré par un quelconque objet exceptionnel, ou de la joie causée par un geste de tendresse de sa part.

Mon chirurgien s'appelle Heinrich Rath, il est devenu mon ami le plus efficace. Je l'ai recommandé à beaucoup de mes autres amis, et il en a accompagné beaucoup, tendrement, vers la mort. Heinrich est un mélancolique. Il a une barbe poivre et sel et il est à la retraite, comme moi. Mais il n'a pas cessé d'opérer et de prendre en consultation quelques autres survivants de notre branche, le théâtre. Tous ses diagnostics sont exacts, désespérément exacts – mais en les formulant, il les remet en cause, si bien que son scepticisme nous aide à améliorer notre vie, et même à la prolonger.

L'une de ses exclamations préférées est « Mensch ! » Je ne sais toujours pas si cela veut dire « dommage », ou « tout va s'arranger », ou simplement « va savoir… », parce qu'il me le dit d'un air triste et souriant à la fois. Il ne me reste plus que trois ou quatre amis, et tous appelle Heinrich Rath « Monsieur Mensch », parfois même sur le ton que prend le docteur quand il prononce son expression coutumière ; et comme mon chirurgien, il le fait en penchant un peu la tête vers la gauche.

Lorsque le Dr Heinrich Rath eut abandonné son cabinet, il quitta Berlin, où il avait pratiqué et opéré pendant trente ans. Il décida de ne jamais vivre que là où la santé de l'un de ses amis posait problème. Depuis, il loue un petit appartement là où se trouve son patient du moment. Parfois, Vera, sa jeune amie, l'accompagne.

Lorsqu'il dit : « Nous avons été au Prado ce matin, je sous-estimais Murillo », on entend Vera murmurer : « Sous-estimais… Murillo… » Puis il dit : « Goya me coupe le souffle, sa période noire est un miracle », et l'écho répond : « Un miracle… »

Lorsqu'il vient me voir tout seul, j'entends l'écho tout de même et je regarde de côté.

Nous sommes un petit groupe d'hommes en manque de soins, et nous ne jurons que par le Dr Mensch, qui a peut-être la même bonté et la même attention que l'écrivain Tchekhov. Il est tellement assuré de notre affection qu'il lui arrive parfois d'exagérer un peu avec ses vertus humaines. Quand il arrive avec une semaine de retard chez moi, Seminarstrasse, il dit : « J'ai dû rester un peu plus longtemps chez notre ami commun, Ingo Licht, on y fait des promenades tellement magnifiques... Il t'envoie ses salutations ».

Ou encore : « Cette fois je ne peux rester qu'un seul jour, je dois aller voir Zoltan à Florence, il ne s'en sort pas avec son hypertension. »

Je me garde bien de dire quoi que ce soit (comme je l'ai toujours fait dans ma vie, je dissimule mes vexations), je me lève, j'exagère la gêne qui affecte mes mouvements et je fais le tour de l'appartement en boitant...

« Mais je vais peut-être partir une semaine plus tard, et si ça s'améliore, je n'aurai pas à y aller du tout. »

« Florence, tu as la belle vie ! » dis-je avec un gémissement discret, comme si des raisons de santé m'interdisaient désormais tout voyage de ce genre...

« Cela dit, je ne comprends pas pourquoi je dois partir si loin pour un problème d'hypertension. »

Il s'est empêtré. Je ne veux pas l'aider à retomber sur ses jambes : c'est la seule manière de lui donner mauvaise conscience, et de faire en sorte qu'il s'occupe de mon état.

Je ne crois jamais ceux qui me disent : « Je te connais » – hormis mon chirurgien. À l'instant même où il me regarde, il sait à quoi ressemble l'intérieur de mon corps. Il en connaît toutes les parties, naturelles et artificielles, il en a assuré le montage, il connaît la couleur des matériaux synthétiques et leur valeur. Lorsqu'il sort, comme il y a quelques années, les vis de titane bleues pour les remplacer par une poutre transversale qui forme une croix avec la tige centrale, nous contemplons ces objets précieux et les envoyons en Afrique. Les vis coûtent quelque six mille francs suisses au total, et seront utilisées dans un autre dos. Nous pourrions aussi bien les offrir à un autre continent.

J'ai passé une longue période en Afrique de l'Ouest avec mon Dr Mensch : lui, Thérèse, son épouse de l'époque (une radiologue), Gaspard Nock, l'homme de théâtre, et cinq membres de sa compagnie : Gésine, Alfred, Philippe, Eva et sa sœur jumelle, Jacqueline. Nous avons loué un bus en commun et nous avons roulé dans le désert jusqu'au Togo, et de là au Mali, au Burkina Faso et au Nigeria.

La tête de cette entreprise était mon supérieur au théâtre, Nock, qui désirait étudier sur leur lieu de vie les Dogons du Mali : il avait travaillé sur les textes de Paul Parin, Griaule et Michel Leiris, et voulait en tirer une pièce de théâtre avec ses comédiens.

J'avais peur de voyager sans protection dans un grand continent inconnu, et je demandai à mon ami médecin de m'accompagner. Pour mes collègues, entreprendre pareille expédition en présence d'un docteur était tout de même rassurant…

Notre chauffeur s'appelait James. Il portait des shorts, une chemise jaune où figurait le portrait de

Patrice Émery Lumumba, l'homme qui avait voulu libérer le Congo de l'emprise belge. À l'aéroport de Kinshasa, Lumumba, fait prisonnier par des officiers belges, avait été passé à tabac et abattu par des officiers belges et par ses propres opposants, dont les hommes du général Tshombe. Cette exécution m'avait long-temps préoccupé, sa brutalité avait parcouru une longue distance pour faire irruption dans la Seminar-strasse, à travers le téléviseur noir et blanc.

C'est Gaspard Nock qui avait organisé le voyage, fixé les itinéraires, mis les choses en scène dans un territoire qu'il connaissait tout aussi peu que nous. Il s'était certes préalablement renseigné sur la région et son histoire ; mais cela ne servit à rien. On ne peut vraiment appréhender quelque chose qu'après l'avoir vu, vécu, ressenti.

À présent qu'il n'est plus des nôtres, il m'est plus facile de le critiquer. Je lui ai été trop dévoué, trente années durant, pour lui dire les choses en face. Par crainte d'une confrontation, je lui donnais générale-ment raison, afin de pouvoir me sentir bien au cours des heures qui suivraient. Ensuite apparaissaient les remords que m'inspirait mon manque de courage. Mais dans la plupart des cas, il était trop tard pour remettre les choses en place, Gaspard ne savait plus de quoi il s'agissait, il avait oublié ses ergoteries et m'embrassait amicalement. À cet instant précis, j'en étais presque à vouloir lui donner raison une fois de plus. La félicité que m'inspirait sa bienveillance me faisait tout voir comme lui le souhaitait.

Il est mort à présent. Le Dr Mensch est resté auprès de lui jusqu'au dernier instant. On dit qu'il a écarté largement les bras, comme s'il ouvrait les pans d'un rideau de théâtre pour entrer dans son royaume, dans son royaume de la mort.

Il est mort à présent, je l'ai dit, et pendant ma petite histoire, au cours des excursions que je fais dans ces pages, je vais rectifier certaines choses qui, pendant toute ma vie, m'ont courbé et fait plier, jusqu'à ce qu'on m'implante dans le dos cette tige qui me redresse. Elle m'aidera à présenter à ma manière le jeu auquel nous nous livrions tous les deux, Nock et moi…

Pendant toute l'expédition, il resta assis à côté de James et ne fit jamais confiance à cet homme originaire de Côte d'Ivoire, mais à sa grande carte déployée de l'Afrique occidentale, où étaient dessinées les pistes principales. Cela ne servait pas à grand-chose : par mauvais temps, ces pistes étaient toujours recouvertes de boue, et les nouveaux rails de circulation dessinés par les pneus couraient à des kilomètres de ceux dessinés sur la carte.

Au cours de notre période théâtrale, j'avais appris de mon mentor l'art de remettre toujours les choses en question, de ne jamais foncer tête baissée et de considérer les détours comme les véritables éléments créatifs. En Afrique, il faisait le contraire. Il voulait tout décider et nous ouvrir les portes d'une région dont il n'avait qu'une connaissance théorique. Il disait : « Regardez à gauche, regardez à droite… » Nous étions forcés de regarder en même temps que lui, nous ne voyions rien. Nous ne sommes même pas arrivés à Tombouctou : les pistes étaient inondées.

C'est seulement à présent, dans la Seminarstrasse, en attendant Séraphine, que je revois les instants et les étapes de ce voyage, il est vrai que bien des choses vous reviennent lorsqu'on n'a pas grand-chose à faire et qu'on se tient à sa fenêtre, oui, beaucoup de choses vous reviennent : Eva, c'était le prénom de la compagne de Gaspard Nock. Ils n'étaient pas mariés, insistaient sur ce point comme s'il s'agissait d'un gage de vertu – « Dieu merci nous ne sommes pas mariés » – et vivaient ainsi depuis près de deux décennies. Elle jouait les premiers rôles féminins dans les mises en scène de Nock et pleurait beaucoup pendant les répétitions. Elle voulait être encore meilleure qu'il ne l'exigeait d'elle, elle voulait correspondre à son idéal à lui et ne parvenait pas à le comprendre. Moi, son collaborateur, je devais faire le lien entre les deux, car les malentendus qui éclataient entre Gaspard et Eva donnaient lieu à des nuits sans espoir auxquelles personne ne pouvait trouver d'issue. En de tels moments, je me sentais plus proche de mon patron, mais je m'efforçais d'exprimer le contraire, c'est-à-dire une plus grande sympathie pour Eva, afin que lui ne me prenne pas pour un opportuniste – ce que j'étais et aimerais rester toujours. L'opportunisme protège de mille désagréments, on passe toute sa vie dans un abri antiatomique, sous un grand parapluie, dans tous les cas au chaud, et jamais exposé à rien, croyez-moi.

Pendant notre voyage, Gaspard me confia qu'au cours de ces journées sur le continent africain, il voulait se montrer particulièrement attentif et tendre avec Eva, elle avait passé avec lui une saison difficile, l'heure était aux vacances, des vacances studieuses… Sur le marché touareg de Gao, il lui acheta une bague berbère en émeraude ; pendant le voyage, elle garda la main levée, la bague étincelait dans le soleil. Dans la jeep, nous étions tous malades, même mon docteur vomissait dans le mouchoir qu'il avait d'abord noué sur sa tête. Nous nous nourrissions de conserves que nous avions apportées de Berlin, mais cela ne servait à rien. Lorsque nous nous perdîmes à proximité de Lagos, notre guide se mit à invectiver James. James s'arrêta, coupa le moteur et s'en alla tranquillement. La nuit tomba. Eva sauta de la voiture et se coinça la main dans la portière : la phalange qui portait la bague était restée accrochée à une fente, il fallut décrocher le doigt comme s'il avait été pris à un hameçon. Eva s'effondra de douleur sur le sol sablonneux où elle perdait son sang.

« Mensch... », commenta mon docteur. « Mensch... »

Pendant qu'il recousait le doigt, Eva chantait d'une voix haute et forte pour lutter contre la douleur. Gaspard maudissait le ciel, et me confia que mon ami, le Dr Mensch, lui était antipathique...

« Pourquoi ? demandai-je, vexé

— Parce qu'il est médecin et qu'il se croit supérieur à nous tous... et plus que jamais maintenant où nous sommes en détresse... »

Puis nous partîmes à la recherche de James.

Nous le trouvâmes à l'aube : il était nu, assis, sur un rocher au-dessus d'un petit ruisseau paisible, son short rouge et le visage de Patrice Lumumba soigneusement pliés... « *When I am alone, I think* », dit-il.

Pour ma part je ne réfléchis pas lorsque je suis seul, même parmi les hommes. Tout ce qui naît en moi cherche la liberté, la dissipation. Il reste parfois quelque chose, mais fort peu. Nos âmes restent-elles après la mort ? Seules restent les meilleures, et elles se regroupent avec leurs semblables pour en former une nouvelle. Mais les âmes en demi-portion, la mienne par exemple, ne retournent-elles pas au néant ?

Et je suis capable de méditer toute une journée sur ce problème.

Je revois à présent la large autoroute qui décrit un grand arc au-dessus de Lagos, j'entends le bruit en dessous, comme un seul trait de respiration, un coassement : tous ces airs de blues crachés par les ghetto-blasters, les Nigérians qui avancent en se dandinant au rythme de leur musique. Personne ne regarde les autres, chacun va devant soi, et ils sont pourtant serrés les uns contre les autres...

Je marchais à côté de mon Dr Mensch, la main sur son épaule, pour me soulager le dos.

Nous sommes passés par le Burkina Faso, à l'époque la Haute Volta, la région la plus pauvre de la planète. Des déchets poussés par le vent glissaient sur la route. Les vautours s'abattaient sur une forme d'aspect comestible, des enfants qui rappelaient vaguement des silhouettes humaines, mais avaient plutôt l'allure de petits morceaux de bois noués avec des bouts de ficelle, couraient après une boîte de conserve argentée qui roulait sur la chaussée. Ils se l'arrachaient mutuellement des mains, fouillaient le récipient vide, se blessaient sur les rebords.

Lorsque je regarde le ciel aujourd'hui, je sais qu'il n'est pas plus grand qu'une scène de théâtre étriquée, que tout s'y déroule en condensé. Mais lorsque je vois le ciel africain, ce grand ciel large, éternel, où les nuages ont la place de se mêler les uns aux autres, de se déchirer, où cohabitent les couleurs les plus contrastées, comme sur les habits des Africaines, je constate que ce ciel tellement puissant protège un continent malade et lui donne l'air d'être en meilleure santé.

Le doigt presque écrasé d'Eva mit un terme à leur relation. Nous passâmes certes encore des semaines à rouler dans le Sahel, ce désert desséché et pierreux, mais Eva et mon employeur ne s'adressaient plus la parole. Il ne disait plus non plus : « Regardez à gauche, regardez à droite », mais fixait les lointains comme s'il y avait un compte à régler avec l'horizon.

La nuit, nous dormions dans des tentes – le couple avait la sienne, à part. Ils se disputaient à voix basse ; lorsque la querelle menaçait de devenir bruyante, l'un des deux sortait de sous la toile. Dans un appartement, ils auraient claqué les portes. Ici, on entendait le zzzippp de la fermeture Éclair de l'entrée. Zzzippp… une fois lui, une fois elle.

Séraphine me prend par la nuque. Je ne l'ai pas entendue entrer.

Je l'entends rarement lorsqu'elle se déplace, il m'arrive de me demander si nous vivons dans le même appartement, au moment précis où elle se trouve dans un coin du salon, où je regarde une fois de plus par la fenêtre.

Lorsqu'elle s'en va pour longtemps, je perçois bien son absence, mais jamais quand elle revient, déballe les sacs de courses dans la cuisine, range le beurre et le lait dans le réfrigérateur. Il y a autour d'elle quelque chose qui retient le souffle, ce n'est pas elle, c'est autre chose qui la rend tellement silencieuse.

Il m'arrive de me sentir pris sur le fait quand elle apparaît tout d'un coup. « Ça ne te fait pas plaisir de me voir ? » demande-t-elle.

Je ne peux m'empêcher de penser à une lettre dans laquelle Kafka demande à Milena, avant leur première rencontre à Vienne, de ne pas s'approcher de lui sur le côté ou par-derrière mais de face.

Je n'arrive pas à lui dire : « Ça me fait plaisir. »

Je veux la prendre dans mes bras, et la voilà qui disparaît déjà dans le couloir – je ne la vois plus.

Nos journées n'ont guère de forme et il importe peu que ce soit le matin ou en début de soirée. Le matin, parfois, les lampes allumées la veille brillent encore, et il nous arrive de prendre le déjeuner à la seule lueur des informations télévisées. Notre femme de ménage, Bounia, venue de Kiev, passe trois fois par semaine ; c'est elle qui décide de l'heure et du moment. J'aurais eu mille motifs de congédier Bounia – il y a dix ans, elle m'a fait passer quinze mois de notes de frais au vide-ordure –, mais ses cernes lourds et sombres autour des yeux m'ont jusqu'ici dissuadé de le faire. D'ailleurs ce jour-là, elle avait agi dans les meilleures intentions du monde : « Vous dites aux impôts que vous n'avez pas de frais, comme ça vous n'aurez rien à payer. »

Je suis reconnaissant à Bounia de continuer à venir. Parfois, nous trouvons sous notre lit des carottes et du vernis à ongle, sur le fauteuil vert hérité de mon grand-père des devises remontant à l'époque qui précéda l'euro et une bouteille d'eau minérale ; s'y ajoutent les vieilles revues dans le placard à balais et un terrarium vide et hors d'âge rempli de plantes séchées (il date de l'époque où je possédais un boa).

Mon ami, le sculpteur Ingo Licht, a dit un jour à propos de Séraphine et de moi-même : « À neuf heures, tout est encore en ordre, mais ensuite votre journée devient de plus en plus complexe, à seize heures vous n'êtes plus capables d'y faire face et l'on a l'impression de devoir venir à votre secours. »

Lorsque je me réveille, Séraphine dort encore. J'aime bien veiller sur son sommeil, même si elle a de nouveau dit pendant la nuit des choses dont elle n'ose pas me parler le jour. Contrairement à ces balbutiements nocturnes que nous ne comprenons pas, le plus souvent, et qui ressemblent à des mots ou des phrases dadaïstes, Séraphine parle en clair, prononce de petits monologues dont elle n'arrive plus à se souvenir pendant la journée : « Tu aurais dû sauver cette femme. Tu aurais dû empêcher les pompiers de la sauver. Elle voulait mourir. »

Elle lit des romans, mais se contente le plus souvent de *Gala* et *Paris-Match*…

« Et vous étiez tous en liesse, vous l'excitiez… Ça a été le pire de mes étés. Je ne voulais plus descendre, je voulais être le dernier meuble, je te le dis. Quelle heure est-il ?

— Trois heures et demie…

— Je t'aime ».

Et elle replonge dans le sommeil…

Je n'aime pas entendre « Je t'aime » prononcé sur ce ton. On dirait les derniers mots d'une conversation au téléphone dans un film américain, lorsqu'un couple séparé par des continents et des événements dangereux parvient enfin à établir une liaison téléphonique. On entend alors l'un des deux dire d'une voix entrecoupée de larmes : « *I love you, Gina.* »

Je reste éveillé et je réfléchis aux phrases qu'a prononcées mon épouse. J'y vois une cohésion, qui ne fait cependant pas partie de notre vie à tous les deux, mais d'une histoire que je lui ai racontée il y a peu de temps, et à laquelle elle répond à présent dans son sommeil. Une nuit, voici trente ans, alors que je faisais avec Gaspard Nock un séjour de travail à Madrid, nous avons vu une femme qui jetait tous ses meubles par la fenêtre, sur un passage piétons. Quelques chaises étaient restées suspendues aux décorations accrochées entre les deux rangées d'immeubles, les miroirs et les lits de fer éclataient sur la chaussée, provoquant un gigantesque déploiement de policiers et de pompiers. On bloqua toutes les rues, les badauds s'agglutinèrent sur les lieux de l'incident. Debout sur le balcon, la femme continuait à lancer tout ce qu'elle possédait. On fit monter une échelle de pompiers, mais pas dans le bon angle, et c'est sous les applaudissements destinés à la folle que les hommes durent faire reculer à leur camion pour maîtriser cette femme depuis une nouvelle position. Ce fut en vain : les pompiers avaient peur et la foule les décourageait. Les voitures de police étaient de plus en plus nombreuses à se garer en laissant hurler leurs sirènes à proximité du bâtiment où la femme faisait le vide dans son appartement. Peut-être, nous disions-nous, compte-t-elle être le dernier objet qu'elle jettera dans le vide.

Au bout d'un moment, elle apparut en bas, à la porte d'entrée : une femme gracieuse et tranquille, encadrée par deux pompiers courtois. Ils ouvrirent la porte arrière de leur véhicule rouge, la femme y monta sans résistance. La foule lui fit une ovation.

Beaucoup de fils de vie se croisent ainsi, et si tout me paraît tellement silencieux à présent autour de moi, les histoires passées continuent tout de même à vivre, sauvages, impétueuses, et tourmentent les nuits de Séraphine. Elle est toujours blême, le soleil ne laisse jamais la moindre trace sur sa peau. Et même lorsqu'elle est effrayée ou lorsque quelque chose lui déplaît, elle ne rougit jamais. Quand elle pleure, son nez, sa bouche et ses yeux se resserrent, son visage n'est plus qu'un unique nœud, il rapetisse. On ne peut pas le toucher, toutes ces rides forment une nouvelle peau repoussante. Cela m'étonne tellement qu'il m'arrive d'inventer des choses pour la faire pleurer. Ce non-visage est une énigme.

Lorsque Séraphine est absente, je ne me rappelle plus à quoi elle ressemble. Je ne peux plus me remettre son visage en tête. Je tente d'entendre à nouveau l'une de ses phrases, mais l'expression qu'elle avait en la disant ne me revient pas. Je ne vois pas les mouvements des lèvres, je ne me rappelle aucun geste particulier du bras et de la main, je ne la vois pas s'asseoir et ouvrir une revue. Il me semble parfois qu'on ne l'a pas dessinée jusqu'au bout. Je vois la couleur et la consistance de ses cheveux, tout juste, encore, le front... Le nez m'apparaît seul, comme dans la nouvelle de Gogol, sans les joues de part et d'autre. Puis je ne vois que son oreille blanche. Ne suis-je capable de me la remémorer entièrement que lorsqu'elle se tient devant moi ?

Ma mère, Mathilde, ne pouvait pas supporter Séraphine. Elle était trop blonde, trop germanique pour elle, elle lui rappelait son enfance, lorsque les juifs n'avaient pas le droit de s'asseoir sur les mêmes bancs que les non-juifs. Et pourtant, peu avant sa mort, elle ne cessait de rappeler son origine allemande.

Depuis la Belgique, et *via* un village proche des Pyrénées, ils arrivèrent à Marseille – ce sont des parents qui me l'ont raconté. Elle était peut-être encore passée ailleurs auparavant, mais je n'ai rien pu tirer d'elle sur ce sujet. Elle voulait effacer le passé, elle ne voulait faire part de ses tourments à personne. Il m'arrive d'imaginer son histoire : je vois Marseille et ces deux femmes sans ressources qui y errent à la recherche de travail : « Où allons-nous maintenant ? » – « Viens, continuons, il ne faut pas s'arrêter, j'ai une adresse où nous pouvons passer la nuit pas cher... Donne-moi l'argent, tu vas le perdre... » Elles entrent dans un petit hôtel derrière le port, un hôtel de passe. Les Américains sont déjà en route pour l'Afrique du Nord. J'ai découvert une note de Mathilde là-dessus. Elle me l'a laissée peu avant de mourir, entre deux chemises, elle voulait que je trouve ce petit morceau de papier, ou que je ne le trouve pas, c'était selon. (Par la suite, j'ai déniché dix lettres qui m'étaient adressées : dans la poche d'un manteau, dans un Ancien Testament, dans L'Ecclésiaste.)
Voici la lettre trouvée entre les chemises – ce ne sont que quelques mots, et pourtant c'est une lettre :

« Cher fils, laisse-moi en paix avec mon passé. Ne va pas t'en servir pour fanfaronner. Je trouve que l'on a suffisamment raconté le destin des juifs, que l'on a assez écrit à son sujet, et si nous insistons trop là-dessus, ils recommenceront à nous haïr. Et puis il n'y a plus rien à dire. Je refuse de voir un film, de lire un roman sur ce thème. Lanzmann a fait un bon travail, mais avec cela, tout est dit. Je suis parfois reconnaissante du fait que nous ayons eu un sombre destin. Je t'en prie, ne raconte cela à personne, je sais que c'est une pensée interdite. Après cette époque, j'ai vécu une vie vide, et c'est dans cette vie vide que sont venus se loger tous ces souvenirs de guerre insupportables. Et puis je vous ai vus, mes descendants, et j'ai trouvé que votre vie aussi était assez vide… Vous n'avez rien à raconter, raison pour laquelle tu te disputes avec toutes les femmes, par ennui…

Bien sûr, on dit que la vie est trop courte ; moi, je la trouve trop longue pour quelques-uns. Ne prends pas ça pour un reproche. Tu es mécontent que je t'aie si peu raconté sur moi, et tu cherches toujours à m'arracher quelque chose. Je ne suis pourtant pas l'héroïne d'un documentaire qui pleure devant la caméra et raconte comment l'on a rasé sa tante à Bergen-Belsen… Ne t'attends pas à cela…

Mais je rassemble mes forces pour te raconter une petite histoire, parce que je la trouve intéressante :

Je vivais avec ma mère dans cet hôtel de passe. Nous dormions dans un grand lit l'hiver, serrées l'une contre l'autre parce que la chambre n'était pas chauffée ; en été, dans la canicule marseillaise, nos transpirations s'infiltraient dans le matelas. Devoir ainsi subir l'odeur de sa propre mère. Pour une mère, la proximité de sa fille est plus naturelle que l'inverse.

Un jour ma mère est allée au marché, elle voulait acheter des légumes – on avait du mal à trouver des produits frais. Elle est revenue avec un kilo d'épinards. Mais pour l'obtenir, elle avait aussi dû acheter un kilo d'escargots de Bourgogne.

Moi, j'étais déjà au travail.

J'espère que tu ne seras pas choqué d'apprendre que je travaillais dans une boîte de nuit appelée "Chez Diane", où j'étais d'une part strip-teaseuse, et d'autre part chargée d'inciter les hommes à boire du gin. Un jour, je t'écrirai aussi une lettre sur ce "travail".

Lorsque je suis rentrée chez moi, vers trois heures du matin, ma mère était debout sur son lit, un balai à la main : elle essayait de détacher du plafond les escargots qui s'étaient échappés de leur sac en papier et rampaient sur tous les murs. Un kilo d'escargots ! Nous les avons fait cuire sur un petit réchaud à même le sol, à l'eau de Cologne, parce que nous n'avions plus d'alcool. Les épinards, nous les avons gardés pour le petit déjeuner. »

Séraphine sait que, le matin, « j'écris ». Elle appelle cela comme ça, mais je veux rassurer tous ceux qu'effraye la confrontation avec une œuvre littéraire : prenez mon écriture comme les mots d'un de ces hommes qui parlent tout seuls dans la rue, que l'on considère, à tort, comme des fous. Ces gens-là récapitulent des moments de leur vie, leur propre voix leur donne l'impression de ne plus être solitaires, ils entendent quelque chose qui les guide ou les apaise, ils savent ainsi que leur corps n'est pas seulement une masse de chair qui se déplace dans une direction ou dans une autre selon des lois inexplicables, qui se rend au bureau, va faire des courses, passe chez le notaire ou marche simplement pour prendre un peu l'air, pour fumer des cigarettes, puisque c'est désormais aussi interdit jusque dans les appartements. Ils sont seuls dans nos villes d'où la plupart des enfants ont déjà disparu et où ne logent plus que quelques couples, la grande majorité des autres étant des hommes et des femmes isolés qui, eux aussi, parlent de plus en plus souvent tout seuls lorsqu'ils ne tapotent pas sur le clavier de leur Power Book G4, comme des enfants qui – sans jamais avoir pris la moindre leçon de musique – pianotent sur les touches dans l'espoir d'entendre soudain s'élever une mélodie, une petite composition. Mon écriture, c'est cela. Séraphine regarde par-dessus mon épaule et dit : « Je ne lis rien, mais je me demande ce que tu peux bien avoir à dire. Et surtout j'espère que tu ne parleras pas de moi : je ne concerne personne.

— C'est pour moi, réponds-je hâtivement.

— Mais ton ami, l'écrivain Max Bouquet, te l'a bien dit : tu devrais arrêter, on n'écrit pas par oisiveté, mais parce qu'un sujet vous tient à cœur, parce qu'on a un thème à propos duquel on veut s'exprimer, ce que le lecteur doit ressentir, c'est une nécessité. As-tu une nécessité ? Et puis Bouquet a estimé qu'être assis devant une feuille blanche exige la présence de l'homme tout entier. Il m'a incitée à te demander de mettre un terme à ces petits jeux, d'autant plus qu'ils dégénèrent le plus souvent en indiscrétions. Je ne veux pas me retrouver avec un procès sur le dos parce que tu as raconté une histoire de manière trop personnelle, sans même, d'ailleurs, respecter la vérité. »

Voici quelques mois, j'avais dit à mon ami écrivain, au téléphone, que je ne savais pas encore ce que j'allais faire de mon temps – j'étais sans emploi depuis la mort de Gaspard –, il m'avait dit :

« Attention, ne fais pas de bêtises, tu vois bien ce que je veux dire. »

Gaspard, mon patron, n'aimait pas non plus que je note mes observations. « Tu ferais mieux d'attraper les phrases que je prononce pendant que nous travaillons, il y en a quelques-unes dans le lot qui méritent d'être transmises à la postérité ! »

Mais Bouquet a fini par comprendre que je ne peux pas arrêter mes « bêtises » et par me dire, conciliant : « Je suis sûr que tu continueras à collecter tes anecdotes, d'ailleurs c'est aussi un art, et vous l'avez dans le sang, dans votre famille : ton oncle, le fameux collectionneur d'anecdotes ! »

Ma journée est terminée, Séraphine a trouvé les mots pour exprimer mes doutes. J'approvisionne mon Power Book, mais mes lèvres continuent à fredonner devant la fenêtre qui donne sur la prairie du terrain de jeu. Je cherche un enfant que j'aurais pu être, « moi », voici x années, un enfant qui ne joue avec aucun autre enfant mais se taille une flèche avec un couteau de poche.

Et cet enfant, je le trouve. Assis sur la pente de la prairie, il s'y laisse glisser, butant à chaque fois en fin de course sur le même morceau de rocher sortant du sol, ses genoux se fendent et saignent un peu. Il remonte pourtant la pente et la redescend en glissant, pour heurter de nouveau le rocher. Je crois que ses blessures lui font plaisir. Il se frotte le genou avec la paume de la main, étalant ainsi la tache de sang sur sa cuisse... Il ne tarde pas à donner l'impression d'avoir subi une grave blessure à la jambe. Il s'assoit et laisse la tête plonger entre ses mains, le soir tombe et l'enfant, un petit garçon, se met à sangloter. Les autres enfants ne le remarquent pas ; debout sur une balançoire, l'un d'eux se fait pousser énergiquement vers les hauteurs par une petite fille. D'autres abandonnent par terre leurs seaux en plastique, piétinent leurs châteaux de sable et sautent dessus.

Une fille de seize ans sort de l'une des maisons. Elle crie : « Georg, Georg ! »

C'est bien moi, cet enfant qui fait à présent semblant de s'être évanoui. Il est allongé la tête en bas, les pieds vers le haut du coteau, les yeux écarquillés et immobiles. Sa sœur se jette sur lui et le secoue. Elle se met à tousser bruyamment : un moucheron lui est entré dans la gorge au moment précis où elle commençait à le gronder.

Le petit garçon et la sœur disparaissent dans la chambre jaunâtre. Pourquoi tant de choses se sont-elles transformées, partout, sauf en ce lieu ? J'ai joué sur cette prairie, je m'y suis blessé. J'avais une grande sœur qui, le soir, venait m'en arracher. Je me protégeais en offrant des cadeaux aux enfants du voisinage qui étaient plus forts que moi. C'était l'époque où je cherchais les bagarres, mais où j'en sortais toujours perdant. Dans ce petit cadre idyllique, les soirées s'achevaient dans le sang. Comme si nous vivions dans le Bronx ou dans la banlieue de Paris.

Je n'ai pas présenté ma sœur. Charlotte s'est détachée de bonne heure de notre famille : elle s'est mariée à seize ans et a filé en Australie. Elle ne voulait plus être la fille de Mathilde, pas plus que Mathilde celle de Georg.

De temps en temps j'écris une lettre à Charlotte, parce que nous avons le théâtre en commun – elle est comédienne –, mais je ne reçois pas de réponse et si j'entends parler d'elle et de sa vie, ce n'est jamais que par des détours. Cynthia, sa meilleure amie, une Londonienne, travaillait avec Gaspard Nock comme costumière. Elle était repartie de Sydney pour Paris, sa chevelure rousse lui descendait jusqu'aux hanches, elle riait fort, plus que ne l'aurait justifié sa bonne humeur, et c'est son immuable gaieté qui créait l'atmosphère dans laquelle nous travaillions. Tous les hommes de la compagnie de Gaspard la voulaient pour eux. L'artiste Meret Oppenheim se joignit elle aussi à nous un soir, elle était tombée amoureuse de Cynthia. C'est par Cynthia que j'ai appris que ma sœur Charlotte avait divorcé pour la deuxième fois, qu'elle vivait seule dans un faubourg de Sidney, qu'après avoir raté ses études son garçon s'était plongé dans une pratique rigoureuse de la religion. Il porte barbe noire et peyots, regarde par terre quand une femme passe devant lui et vit retiré du monde. Ses deux maris n'ont laissé que des dettes à Charlotte : le premier nageait lorsqu'il a été emporté par un courant et s'est noyé ; l'autre, nous ne le connaissions pas.

Ce sont tous ces destins qui me mettent aujourd'hui sens dessus dessous. Ils affluent dans ma direction.

Et voici la brève histoire de Cynthia. Tout le monde la désirait, ses mouvements étaient beaux et rapides. Parfois elle avançait à reculons dans la rue pour discuter avec les autres, qui ne progressaient pas aussi rapidement qu'elle. Elle se déplaçait aussi vite qu'en marchant normalement. Elle tenait ses admirateurs à distance, d'un rire sonore. Personne ne savait qu'elle vivait avec un mathématicien auquel cette femme libre et indépendante obéissait en toute chose ; que cet homme la tourmentait psychiquement et physiquement, qu'il lui volait et lui détruisait la nuit tous les compliments qu'elle avait récoltés dans la journée.

Rien ne révélait, le jour, qu'elle passait ses nuits en enfer.

Elle décida subitement de ne plus faire de costumes : elle ne voulait plus avoir à pincer des bouts de tissu sur ces corps de comédiens nerveux et tremblant de trac, se tenir avec eux devant le miroir et ne les voir que dans ce reflet. Un jour où elle faisait essayer un pantalon rouge et étroit, elle dit : « Ce pantalon est rouge et étroit ; mais il pourrait aussi être blanc, court et large, ou bien tout pourrait être en noir, et pourquoi pas en vert ? » Elle arracha le vêtement dont elle faisait l'essayage et s'assit sur un tabouret, le visage inexpressif.

Pendant des semaines, elle vint s'asseoir sur le tabouret de l'atelier, sans dire un mot.

Peu avant cette crise, elle avait joué une sorcière dans le *Macbeth* monté par Gaspard Nock. Tous disaient le texte en français, elle avait tenu à la langue originale. « *When shall we meet again…* » « *By thunder… rain…* »

Les sorcières jouaient nues, comme Adam et Ève chez Lukas Cranach, les autres portaient de lourdes et authentiques cotes de maille médiévales. La Lady, une jeune fille de douze ans, était vêtue d'une robe aux rebords fourrés de blanc, comme les princesses chez Vélasquez.

La représentation tourna au scandale : Nock, poussé par Cynthia, montrait Lady Macduff enceinte au moment où elle était assassinée. Alors que les meurtriers poignardent déjà tous les enfants de la famille Macduff. Je n'approuvais pas ce dérapage dans le sanguinaire, mais je n'en dis rien à Gaspard Knock. « Une grande idée, pas vrai ? » Je fis comme si je n'avais pas entendu.

Il répéta : « Une décision radicale. Dis quelque chose ! »

La vague de chaleur que procure l'opportunisme monta dans mon corps, je me tournai vers Gaspard, transfiguré, et lui dis : « Cynthia a eu une idée admirable. »

Faire le compliment à Cynthia plutôt qu'à lui, sans devoir pour autant révéler mon opinion, tout cela m'avait un peu apaisé : l'opportunisme et la vengeance mêlés, quelle satisfaction !

Pendant cette mise en scène – eh oui, c'est ainsi qu'on appelait jadis cette forme d'art : mettre en scène, diriger, mon ami Bouquet appelait cela « organiser », avec une pointe de dédain –, d'inquiétantes histoires eurent lieu autour des sorcières et, plus généralement, autour de ce que les Anglais, par superstition, appellent « la pièce écossaise » : Cynthia reçut des lettres de menaces comportant des phrases comme : « Nous nous retrouverons en camp de concentration », et ces lettres étaient accompagnées de cassettes audio. Nous les écoutâmes ensemble. Une voix criait : « Cherche vite tes dix doigts, je crois qu'il en manque trois », et des pas s'éloignaient. Un jour, dans sa boîte aux lettres, elle trouva une colombe éventrée.

Cynthia se mit à peindre. Elle ne voulait plus entendre parler du théâtre. Elle s'aménagea un atelier dans la banlieue de Paris, à Malakoff ; vêtue d'une salopette trop grande, elle peignait des vols d'oiseaux blancs qui emplissaient les tableaux et poursuivaient leur vol sur le cadre et sur le mur.

Aujourd'hui, je me suis levé de bonne heure et j'ai vu les hirondelles voler à très basse altitude, elles frôlaient les toits et aucune n'imitait le vol de l'autre. C'était une mêlée incompréhensible. Tant de trajectoires proches les unes des autres, qui se croisaient ou ne se croisaient pas, n'avaient aucun lien les unes avec les autres. Leur excitation teintait le ciel, elles me rappelaient tous ces gens avec qui j'étais en relation.

Ce qui est arrivé un mois plus tard à Cynthia, il ne se passe pas une semaine sans que cela me revienne plusieurs fois à l'esprit, pour ne plus me quitter : après avoir réussi à échapper à son mathématicien, elle quitta Malakoff et repartit pour Londres où sa mère, une diplomate, vivait seule près de Hampstead. Là-bas, dans la mansarde de la villa, la mère trouva un matin sa fille pendue à une poutre.

Quelques semaines plus tard, je suis retourné dans son atelier. Personne n'avait repris le bail. On aurait dit qu'elle y travaillait encore. Une porte était posée à l'horizontale sur deux tréteaux, sur la porte un paquet de pinceaux, le squelette d'un rongeur et une méduse desséchée que nous avions vue ensemble sur une plage de Dunsinane. Son petit transistor crachotait encore, et je crus distinguer dans ce bruissement une symphonie de Brahms.

Le visage boursouflé d'une voisine enivrée se pressait contre la paroi vitrée de la véranda. Elle grimaçait et bredouillait quelque chose à propos de Cynthia.

Elle ne savait pas que celle-ci n'était plus en vie. J'entendis : « On la surestime, on la surestime, et nous sommes sous-estimés... »

Personne ne sait pourquoi quelqu'un met fin à ses jours. Il est rare que le caractère d'un suicidaire soit en rapport avec son acte. Nous voyons une expression joyeuse, un être insouciant. Nous tentons après coup de déchiffrer les indices qui pouvaient annoncer ce geste, mais nous ne faisons que spéculer, nous ne savons rien.

Au contraire : parfois, je vois Cynthia marcher à reculons dans notre rue, elle est dans son élan et pourtant déjà dans le royaume de Piotr, Gaspard, Mathilde, mon grand-père. Je tente de lui crier quelque chose. Je la vois toujours rire, jamais en larmes ni même seulement sérieuse. Une fois, pour m'amuser, je lui ai donné une gifle. Elle a dit : « C'est drôle, je ne sens rien. »

À son enterrement, j'ai revu ma sœur, pour la première fois depuis trente ans. C'était au cimetière de Hampstead. La dernière demeure de Cynthia était toute petite, il n'y avait guère de place entre les tombes, un pas suffisait à vous mettre sur le rebord d'une autre pierre. Il pleuvait dru, comme dans un film anglais, et nous n'étions pas très nombreux ; nous nous serrions sous trois ou quatre parapluies. J'ai tenté de dire quelques mots, Gaspard aussi, mais la pluie nous fouettait et recouvrait nos voix, le cortège funèbre perdait son calme.

Charlotte était là, je l'observais sans oser lui parler. Il s'était écoulé tant de temps entre nous qu'il n'existait pas de mots capables de le franchir… Comme les familles peuvent être étrangères à elles-mêmes !

« Comment s'appelle ta nouvelle femme ?

— Pour le moment je suis seul.

— Et qui s'occupe de ton dos ?

— Le même docteur, celui de toujours.

— Tu travailles encore au théâtre ?

— Oui.

— Et tu fais tes propres mises en scène ?

— Non. Je suis l'assistant de mon metteur en scène.

— On parle beaucoup de lui en Australie, mais on ne te mentionne jamais. Tu n'es jamais venu saluer à côté de lui et des comédiens ? »

Depuis, nous nous écrivons régulièrement, Charlotte et moi. Elle commence à s'intéresser à moi, et moi à elle.

Comme tout cela est singulier : je parle avec les morts, avec mon médecin, très peu avec Séraphine, et je suis en relation avec Charlotte, ma sœur retrouvée.

Je ne sais pas pour quelle raison, mais je ne lui ai jamais avoué que je ne vis pas seul.

Par Charlotte, j'ai eu plus de détails sur notre mère, Mathilde. Elle avait certes coupé de bonne heure tous les ponts avec elle, mais les détours de l'existence l'avaient amenée à prendre des renseignements précis sur sa vie. Peut-être est-ce aussi Mathilde qui ne voulait plus voir Charlotte, hérissée à l'idée que sa fille savait certaines choses sur son passé.

Lorsque je me réveille, de très bonne heure, je redoute toujours d'avoir retrouvé ma solitude, je crains que Séraphine ne soit partie à l'aube, et pour toujours. Elle me le fait comprendre sans l'exprimer. Ce sont certains de ses mouvements qui annoncent la fuite. Nous n'avons pas encore terminé notre petit déjeuner, et déjà elle attrape son assiette et la range dans le lave-vaisselle. Je me retrouve seul devant mon café. Elle va prendre sa douche et ferme la salle de bains de l'intérieur. Quand nous avons fait l'amour, elle ne supporte plus que je la touche. « C'était si fort », dit-elle. Mais il lui arrive aussi, parfois, de se tenir à mon côté, lorsque je regarde par la fenêtre, tout près de moi, elle pose la tête sur mon épaule – et je crains qu'elle ne veuille me parler d'adieux. Peut-être ma peur est-elle si vive qu'elle me fait tout interpréter de travers. Lorsque j'étais tout jeune homme, j'avais des ambitions poétiques. Je réunissais un groupe d'amis autour de moi et je leur lisais mes poèmes en prose au café « Le Sélect ». Ce fut une période fructueuse : certes, tous les éditeurs refusaient mes poèmes, mais mon groupe d'amis me considérait comme un jeune Rimbaud. Il y avait aussi dans le groupe un poète barbu qui parlait par abstractions philosophiques que nul ne comprenait et tous admiraient. C'était le plus ancien d'entre nous : un magnifique imposteur qui donnait l'impression de passer ses nuits sous le Pont-Neuf. Tout en lui était plein de poussière : ses longs cheveux, sa barbe, son pull-over. Ses dents étaient brunes, celles de devant cassées, si bien qu'il disait ses poèmes en zézayant. Son admiration ne l'empêchait pas de rouspéter : « Que fais-tu de ta vie ? Du théâtre ? Tu es malade ? Pourquoi pas marionnettiste au jardin du Luxembourg ? »

Son amie Paula avait des cheveux noirs et en mèches, un maquillage très blanc. Elle était gracile, proche de l'anorexie. Tous les poèmes que j'écrivais et disais, c'est à Paula que je les destinais, à Paula et ses belles épaules. Je voulais qu'elles soient à moi. D'un côté, je me faisais porter aux nues par son compagnon ; de l'autre, je tentais de lui voler Paula. Chaque jour je réfléchissais à une nouvelle stratégie. Je parvins à mes fins. Elle me rendit d'abord visite secrètement, puis moins secrètement, et finit par le quitter.

Le philosophe tomba malade de chagrin. Il fut pris de crises d'asthme et disparut de notre groupe, quitta la ville, partit pour l'Amérique du Sud.

Depuis et malgré mon âge, je crains qu'une femme vienne le venger. Je subirai le même malheur que lui et, de douleur, me recroquevillerai au sol.

Léa, la mère de Mathilde, espérait que son mari survivrait mais ne reviendrait plus jamais auprès d'elle. Il s'était écoulé trop de temps entre Bruxelles, Clermont et Marseille. Elle redoutait les retrouvailles avec un mari qu'elle avait épousé dans le seul but de satisfaire aux volontés de son père. Lorsqu'elle était encore jeune fille, elle était incapable de trancher en faveur de quiconque. Elle était d'une nature telle qu'une décision dépassait sa force mentale. Elle aimait les radiateurs et les poêles. (Comment puis-je écrire une chose pareille ? Une grande partie de sa famille avait péri dans les flammes – il est vrai que ce n'étaient pas le même genre de foyers).

Mathilde et Léa ne retrouvèrent Georg qu'à la fin de la guerre, à Bâle. Alors que Mathilde travaillait pour la Croix-Rouge et soignait les demi-morts malades et squelettiques qui revenaient d'Auschwitz et de Birkenau, ses parents restaient auprès d'un prêtre qui les avait accueillis chez lui. Léa griffonnait des mots croisés ou faisait une patience, Georg dictait au religieux un rapport sur la vie qu'il avait menée dans différents camps. Il disait toujours : « Moi, citoyen allemand... »

Une fois, Mathilde proposa au prêtre de se faire baptiser, en signe de gratitude. Le religieux ne voulut pas en entendre parler, il répondit que c'était à eux, les catholiques, de s'excuser auprès des juifs, que ceux-ci devaient défendre leurs racines.

Ils vivaient à Bâle depuis un certain temps déjà lorsque Léa rencontra un poète dadaïste. Elle qui, comme Séraphine, ne lisait que des illustrés, savait jouer à la canasta et au bridge et ne lisait jamais un roman jusqu'au bout, pas même *Anna Karenine,* se laissa séduire par un faiseur de vers avec lequel elle s'éclipsa pendant une année, après la guerre. Je crois qu'ils partirent vivre à Trieste ou dans le Jura, ou bien encore à Bâle, mais cachés. Comment le savoir précisément ? Ces choses-là, on se contentait de les chuchoter, de temps en temps, entre membres de la famille... Et ce dans une langue que nous, les enfants, ne comprenions pas (ce sont justement des mystères de ce type qui nous ont incités à apprendre des langues étrangères…).

Un an plus tard, Léa est réapparu. Elle est entrée dans l'appartement et s'est assise près de mon grand-père. Il a dit : « Dis donc, tu es restée longtemps à la cuisine, reprenons le repas ! »

Je vénère peut-être trop Séraphine. Je la regarde et je perds ma dignité. Lorsque nous allons au restaurant et qu'un marchand de fleurs s'approche de nous, j'achète toutes les roses pour elle. Les clients nous regardent avec étonnement. Bien que ma retraite soit vite consommée, je lui offre chaque mois des colliers, des boucles d'oreille et du parfum « Opium ». Sans doute en redonne-t-elle une partie : je ne la vois jamais porter qu'un seul bijou, le premier que je lui ai acheté. Je ne lui demande pas où sont passés les autres. Je suis tellement heureux et étonné qu'elle ne se soit pas encore enfuie. Au fait, pourquoi ne s'est-elle pas encore enfuie ?

J'ai compris ! me dis-je souvent : Elle sait à mon propos, par le Dr Heinrich Mensch, quelque chose que je ne dois justement pas savoir. Je suis atteint d'une maladie incurable, il ne me reste plus beaucoup de temps. Et le Dr Mensch, mon ami, mon bon ami, l'a implorée de me laisser l'illusion qu'à soixante ans, je suis aimé par une jeune et belle femme, que la barre de fer que je porte dans le dos ne l'empêche pas de me trouver sexy.

Lorsque la tristesse s'empare d'elle, tout d'un coup, et qu'elle pleure en silence, elle ne me dit pas la vérité à mon propos. Quand elle reste plus longtemps que d'habitude en ville, une journée entière, c'est qu'en réalité elle a filé chez le Dr Mensch pour lui faire un rapport sur mon état et lui avouer qu'elle perd courage. « Il faut continuer à jouer votre rôle, lui dit-il alors. C'est ce qui le maintient en vie. »

Les jours où elle se montre exubérante et tendre, c'est au fond qu'elle redoute de voir fondre les forces qui me permettent de tenir bon.

Le soir j'ouvre une bouteille de pomal, le meilleur vin d'Espagne, nous nous soûlons, et je lui dis : « Admets-le, tu sais tout ! Admets-le donc enfin ! »

Elle me regarde, l'air effrayé. Voilà un indice fiable, me dis-je, et je ne tiens pas à fouiller plus profondément.

Le lendemain matin, ces idées se sont envolées. Elles reviendront d'ici quelques jours, mais pour l'instant, elles sont parties.

Je dois l'admettre : maintenant qu'il ne se passe plus grand-chose dans l'appartement de la Seminarstrasse, les maladies ou le décès de mes amis ne me rendent pas seulement triste. La plupart des gens âgés le disent pourtant : Tous nos amis meurent autour de nous ! Quelle solitude on ressent ensuite !

Lorsque Piotr est mort subitement, j'ai commencé par me sentir délivré. Il en savait plus que moi, il avait raison dans la plupart des cas, mais moi, en contrepartie, je vis plus longtemps que lui… J'étais très profondément bouleversé, mais il y avait un rayon de soleil dans mon deuil : Moi, j'avais survécu !

C'est pendant que je portais le deuil de Gaspard, l'artiste du théâtre, que je me suis senti le mieux.

Nous étions nombreux autour de lui, nous, ses amis qui le vénérions et qui avions pris des leçons auprès de lui. Il était notre axe. Lorsqu'il inventait quelque chose pour la scène, nous l'imitions et nous prolongions ses idées. Il savait combien nous l'admirions, et il y eut des périodes où il parlait de lui-même comme d'un monument historique. Quelques débuts de phrases remarquables de Nock sont restés gravés dans ma mémoire : « Tu te figures bien que si je… », ou bien : « Je ne suis pas facile, mais il faut tout de même savoir qui l'on engage. »

Nous étions de proches amis, mais je ne pouvais jamais me sentir tout à fait dégagé en sa présence. Le respect qui l'entourait comme une cuirasse me rendait petit et timide. Nous avons passé des décennies ensemble, et je continuais à bredouiller lorsque je voulais préciser ou corriger ses propos. Je me suis senti comme libéré le jour où il a dit : « J'ai toujours raison. » À partir de ce moment-là, les fronts étaient bien délimités et j'ai évolué plus librement. Par la suite, je contredisais mon patron en ayant conscience qu'en toute certitude je pensais ou agissais de travers, et je n'avais aucun mal à retirer ce que je venais de dire lorsqu'il me répondait d'un ton exubérant.

Il m'arrivait de passer un pantalon aux couleurs très vives, des souliers vernis bleus à rayures blanches, une chemise blanche avec un nœud papillon. J'avais l'air d'un bouffon, et c'était bien le but. Il fallait que je donne un nouvel éclat à ma servilité.

Je vois devant moi une peinture de Velasquez (à moins qu'il ne s'agisse de Goya ? Gaspard, lui, l'aurait su !) qui montre une famille alignée, auprès de laquelle se tient un bouffon. Son corps est celui d'un homme âgé, mais son visage est aussi jeune que celui d'un nouveau-né. Les bouffons du roi étaient des enfants, pas seulement des nains. C'est ce que j'avais proposé à mon maître pour sa mise en scène du *Roi Lear*. Il m'avait éclaté de rire au nez, mais avait fini par trouver l'idée séduisante. « Il est trop tard, malheureusement, j'ai promis le rôle à Katharina Misch. Tu pourras peut-être la dissuader à ta manière d'accepter le rôle du bouffon, ou du moins l'inciter à trouver qu'il n'a pas de charmes. De toute façon, nous avions l'intention de résumer les chansons du bouffon, elles sont ennuyeuses. »

Je voulus essayer : mais en présence de Katharina Misch, cette femme vigoureuse et convaincue, tous les arguments que j'avais prévus de déployer se renversèrent : au bout du compte, le rôle devint un rôle principal, et c'est moi, Donatey, qui fus l'unique bouffon de cette histoire…

« Cela vaut mieux ainsi, estima finalement mon maître. C'est plus raisonnable. C'était encore une idée à la Donatey, excentrique, et irréalisable compte tenu de la complexité des lois sur le travail des enfants… »

Lorsque Gaspard, affecté par une sorte de myopathie, devint plus faible et plus immobile, je me sentis plus proche de lui. Il avait besoin de moi pour tout. Quand son mouchoir de poche tombait par terre, quand il avait posé ses lunettes quelque part, quand un pneu de son fauteuil roulant était crevé, quand il avait des vues sur une femme. Moi, dans mon habit de bouffon, j'étais devenu indispensable à Gaspard Nock. Pareille proximité avec le chef me valait beaucoup de respect et d'avantages auprès de mes collègues. Lui était le faible célèbre, moi le fort faible.

« Sans moi, rien ne fonctionne » : j'ai composé quelques mélodies sur ces cinq mots-là.

Je le faisais rouler d'un côté de la scène à l'autre s'il n'y avait pas de pente, je le rapprochais d'un comédien, puis d'un autre, le tirais un peu vers l'arrière, pour qu'il puisse parler en même temps à tout un groupe de comédiens. Comme par automatisme, c'est moi que les acteurs regardaient, et pas l'artiste devenu amorphe. Cela allait si loin que je devais de temps en temps lui prêter mes tenues de bouffon, parce qu'elles étaient élastiques, il ne pouvait plus porter ses anciens costumes *smart*. Il les avait fait tailler sur mesure en Angleterre, il achetait les nœuds papillon à Florence, ses chaussures chez Benetti, sur les Champs-Élysées.

Mon grand-père aussi portait des nœuds papillon. Lorsqu'il ne sut plus les faire, c'est moi qui les lui nouais.

La force avait désormais abandonné les bras de Gaspard ; lui aussi, je lui faisais ses nœuds papillon.

Si j'étais devenu metteur en scène, comme Gaspard, je me serais moi aussi habillé avec élégance. Max Reinhardt, Howard Hawks, Max Ophüls, Fritz Lang s'habillaient avec grand soin pour exercer leur métier, le plus souvent avec des cravates ou des nœuds papillon.

Gaspard mourut dans la force de l'âge, en plein *come back*. Son métier était devenu plus rare, un peu comme un artisanat médiéval dont on ne saurait plus rien aujourd'hui. On jouait et l'on disait certes encore des pièces de théâtre, des adaptations de romans ou de longs poèmes, mais le metteur en scène, le premier spectateur, celui qui regroupait et interprétait tout cela, qui décidait des mouvements, des rythmes et des mélodies du langage, celui-là n'existait plus. Quelques grands théâtres avaient été transformés en piscines ou en parkings.

De mon employeur, on disait depuis un certain temps déjà qu'il était « *has been* », « démodé », « poussiéreux ». Il employait des comédiens que personne ne voulait plus voir. Même pour des rôles de vieux, les critiques réclamaient de jeunes visages. Mais lui ne voyait pas vieillir ses comédiens préférés. Il voulait confier le rôle de la Petite Catherine de Heilbronn à la comédienne avec laquelle il avait répété des rôles de jeunette trente années plus tôt. Tout comme nos parents qui voient en nous de petits enfants et continuent à faire notre éducation : « Tu n'as donc pas de serviette pour t'essuyer la bouche ? » ou, au restaurant : « Ne commande pas tant de choses, tu ne finiras pas... Ferme la bouche quand tu manges... »

L'un des grands journaux du moment titra en caractères gras : « Fin d'un metteur en scène. » (Dans sa jeunesse, lorsqu'il faisait ses débuts, le même journal avait titré : « Découverte d'un metteur en scène. »)

Un soir, quelques amis, qui se réjouissaient secrètement de l'effondrement de sa carrière, l'attendirent après une première à l'entrée de la scène et lui chuchotèrent, en tournant la tête à droite et à gauche pour vérifier qu'ils étaient bien seuls : « Ça m'a plu, ça nous a plu. » Il commença bien entendu par s'en réjouir. Mais tard dans la nuit, il se redressa d'un seul coup dans son lit et entendit le « m'a » suivi du « ça nous a plu » comme une basse moquerie.

Un jour, il se promenait rue Maximilien à Munich. Une vieille comédienne qui avançait péniblement à sa rencontre reconnut Gaspard au dernier moment. Elle leva sa canne et en pointa l'extrémité sur sa poitrine. « Ah, *La Visite de la vieille dame ! La Visite de la vieille dame !* Pour moi, c'est inoubliable ! »

Il avait mis la pièce en scène trois décennies plus tôt. Il se donnait de plus en plus l'impression d'être un comique dont personne ne rit plus, sauf ceux, très rares, qui rient de leurs souvenirs. Il les ressent avec force, le comique, ces encouragements perdus. Autrefois, les directeurs de théâtre lui couraient après, il ne savait pas comment refuser, il lui arrivait de travailler sur trois projets en même temps. Maintenant, il devait proposer ses services. Ce n'était pas aussi voyant, bien entendu : Gaspard avait du style. Pendant une discussion avec un directeur de théâtre, il pouvait laisser s'échapper les mots : « Ah, cette pièce-là, malheureusement, je ne l'avais pas réussie, aujourd'hui j'essaierais autrement. » Et il arrivait que le directeur lui réponde : « Nous venons d'avoir un désistement. Appelez-nous donc lundi ! »

Le lundi, sa fierté lui interdisant d'appeler, il me demandait de le faire à sa place. Au téléphone, le directeur toussotait :

« Vous travaillez encore pour lui ? »

Moi : « Toujours. »

Le directeur : « Voilà ce qu'on appelle de la fidélité. »

Moi : « Ou de l'amitié. »

Le directeur : « Oh, le plus souvent les deux vont de pair ».

Moi : « Pas forcément, Monsieur le Directeur. On peut être infidèle à un ami et fidèle à quelqu'un qui n'en est pas un. »

Le directeur (impatient) : « De quoi vouliez-vous me parler ? »

Je lui rappelais son offre.

Et il répondait : « Ah, oui, le désistement… Nous avons choisi un autre metteur en scène. »

Il me fallait raconter à Gaspard quelque chose qui ne le vexerait pas : « Ils n'ont pas d'argent, ils laissent tomber tout le projet ».

Gaspard comprenait mon mensonge par nécessité et me lançait sans dire un mot un livre à la tête.

Après un échec, il croisait les jambes et ramenait sur ses mains les manches de son pull-over. Il écrivait courtoisement à ses critiques pour qu'ils reviennent voir ses spectacles et rédigent ensuite un deuxième article réfutant le premier ! Autrefois, disait-il, c'était monnaie courante.

Il s'appauvrissait et travaillait à Nuremberg, où Hitler avait remporté tant de succès.

Il vivait dans un immeuble, dans les faubourgs de la ville, et ne se sentait pas si mal que cela dans son rôle de déchu. Le rez-de-chaussée était occupé par une animalerie où il passait des heures à observer les cochons d'Inde et les hamsters ; leur fourrure tremblante, leur museau, leur crainte : tout cela l'impressionnait. Le soir, il invitait les comédiens du théâtre municipal, leur faisait la cuisine et racontait ses heures de gloire. La femme du directeur était toujours présente, son visage était tellement ridé qu'on ne pouvait en détourner le regard. Il rencontrait des amis qui avaient accompagné sa carrière, des échoués, comme lui.

Moi, j'y étais encore.

Pour le week-end, nous partions pour Bamberg, où se trouve la maison de Hegel, nous marchions insouciants dans les vieilles ruelles dont l'une portait le nom de rue aux Juifs. Nous passâmes deux saisons à Nuremberg, comme au début de notre carrière. Pour beaucoup, nous étions à ce point des « *has-been* » que les douleurs liées à la concurrence guérissaient et la vie redevenait sensible. Nous nous disions que « nous repartirions de zéro », mais nous ne faisions que répéter – nous répétions des pièces que nous aimions tant autrefois, *Le Roi se meurt* de Ionesco, *La Chevauchée sur le lac de Constance*, de Peter Handke, *La Princesse Maleine* de Maurice Maeterlinck et *La Chauve-souris*.

Un jour, Gaspard émigra loin de l'Europe – il prononça vraiment les mots : « J'émigre », comme un opposant politique persécuté. Il travailla un moment avec une compagnie de théâtre au Brésil, puis avec des enfants des favelas de Rio. Lorsqu'il revint, ce fut avec des productions issues de sa nouvelle vie, que l'on célébra pour leur « innovation ». Il parlait mieux, désormais, le portugais que l'allemand, et quand il employait sa langue maternelle, c'était, volontairement, avec un accent étranger. Il avait épousé une danseuse brésilienne, une gracieuse mulâtresse qui apporta trois enfants dans leur couple. Je ne sais pas d'où il tenait sa richesse subite, mais riche, il l'était. Quelque chose avait changé dans l'expression de son visage. Était-il déjà un peu malade, ou était-ce sa langue d'élection qui avait modifié les muscles de son palais ?

L'une de ses représentations fameuses fut *Richard III*, interprétée par des enfants et des jeunes des favelas. Dans la vie courante aussi, le jeune Richard avait un pied bot et des cheveux noirs et lisses noués à l'arrière comme ceux d'un toréador. La princesse Anne avait tout d'une *meniña* sortie de la toile de Vélasquez.

Lorsque l'atrophie musculaire de Gaspard commença à l'empêcher de voyager, l'épuisement s'empara peu à peu de lui, il se retira avec sa famille sur l'île d'Ischia, dans le village de Forio. Beaucoup de peintres y vivaient, ainsi que le poète Auden, que l'on voyait le matin assis au Café Maria, entouré de ses disciples. Il commençait ses phrases par un « hummm » et, au bout d'un moment, récitait par cœur *Le Viol de Lucrèce*. Gaspard Nock aurait tant aimé mettre ce poème en scène.

C'était l'automne, la canicule était passée. Linda Almiñao, son épouse brésilienne, le poussait sur les plages où il passait des heures à regarder la mer ou à se faire relire *Guerre et paix*. *Les Frères Karamasov* lui faisaient perdre ses esprits, il confondait les deux aînés. Mais Aliocha restait l'unique, l'inimitable. Gaspard rêvait de porter sur les planches le roman, mais surtout la suite qu'avait prévue Dostoïevski : Aliocha, ce personnage christique, serait devenu un assassin. Ce travail-là, Gaspard voulait avoir le temps de le mener à bien.

Il avait autrefois été un personnage autoritaire, un homme qui, allongé dans une chaise longue, donnait des ordres à tout le monde, à la manière des directeurs de théâtre : « Va me chercher le livre », « Apporte-moi un verre de gin », « Appelle-moi Untel ou Une-telle », « Il faut que je lui parle tout de suite », « Fichez-moi tous la paix, je veux dormir » ; et, à moi : « Non, toi, tu restes là et tu veilles à ce que personne ne me dérange. » Désormais, dans son fauteuil roulant, il était docile et pacifique. Il pouvait passer des heures au bord de l'eau à regarder l'horizon en marmonnant : « C'est tout de même ça… »

Le Dr Heinrich Mensch, qui s'occupait de nous tous, était présent. Mais Gaspard s'enquérait plus de l'état du médecin qu'il ne se préoccupait du sien…

« Vous n'avez pas froid, comme ça, le soir, sans pull-over ? »

« Je n'ai pas droit au vin, mais faites-moi le plaisir de goûter ce splendide valpolicella pour moi, Docteur ! »

« Persuadez ma femme d'envoyer les enfants à l'école, la carrière théâtrale n'est pas faite pour eux. »

« Je préférerais voir ma fille danseuse de fla-menco… D'ailleurs j'aimerais bien, maintenant, voir quelques danseuses battre du pied devant moi… »

« Pendant notre voyage en Afrique, j'ai été insupportable. Je vous l'avoue, ce continent défiguré qui se veut moderne m'a déçu, et ce que j'ai le moins bien supporté, c'est l'exaltation de ma compagne… Les gens mettent trop d'excitation dans l'amour de ce qui leur est étranger et s'agenouillent devant quelque chose qu'ils ne comprennent absolument pas. C'est pourtant beau, ici : la mer bien connue, les petites vagues familières, les crabes timides qui jouent à cache-cache autour des roues de mon fauteuil…

Lorsque Vénus brille au firmament, nous la reconnaissons… »

Je lui ai rendu visite sur l'île : il ne pouvait plus bouger que les yeux. Je n'ai pu m'empêcher de penser aux mimes qui, dans la Calle Arenal de Madrid, devant l'église où le poète Quevedo a été baptisé, campent des statues humaines en glaise sorties de son roman espiègle, passent des heures sous le soleil et n'ouvrent un œil que pour celui qui vient de jeter une pièce dans le carton. Puis l'œil se referme dans l'immobilité.

Il tenait sur les genoux une plaque de marbre sur laquelle le Dr Heinrich Mensch avait étalé un peu de sable. D'un doigt, Gaspard pouvait y écrire quelques phrases :

Au docteur : « Saluez votre épouse de ma part, il faut qu'elle maigrisse un peu. » À moi : « Écrivez un petit livre sur mon travail ! »

« Le théâtre est mort parce que tous veulent se donner en représentation. »

« Si tu te décides tout de même à faire une mise en scène, je te conseille *Salomé* de Strauss, l'opéra est court, et c'est un chorégraphe qui s'occupe de la danse. »

J'étais assis à ses pieds, perplexe. Je lui ai dit quelque chose de décalé, convaincu que j'étais qu'il voulait mourir décontracté. « Tu as vécu longtemps, avec tes soixante-deux ans ! » C'était une manière de lui faire perdre courage, pas une consolation. Il ferma les deux yeux et laissa la plaque sablée glisser de ses genoux.

Ce sont tant de choses que je revois par la fenêtre de la Seminarstrasse. Je tente de rassembler dans ma tête une liste des erreurs que j'ai commises, sachant que l'on ne peut rien réparer, juste y réfléchir encore.

J'hésite à raconter à Séraphine quelques-uns de ces faux pas. Il y en a tant, et ils pourraient susciter en elle quelque chose que je n'ose exprimer.

Au premier instant, on montre un élément de soi. Des décennies plus tard, cet instant décide de tout. Une sorte d'illusion, et même d'imposture, peut devenir la base d'une vie de couple. « L'amour au premier regard », c'est une formule magique qui ne livre ses clefs que bien plus tard.

« Grâce à moi, tu oublies le temps qui passe », me dit Séraphine chaque jour. À deux, même l'ennui est magnifique. Qu'est-ce que c'est que ces os de volaille dans ton assiette ? Et pourquoi n'as-tu fais les courses que pour toi ? À quoi as-tu pensé cet après-midi, tu as la mine fatiguée et livide ? »

Nous perdons de plus en plus d'amis, un désert se répand autour de nous…

Pendant vingt ans nous avons vu tant de gens, nous les avons logés, nous nous sommes souciés de leurs soucis, nous avons parlé d'eux lorsqu'ils nous quittaient le soir, nous avons fantasmé sur eux avant qu'ils ne nous rendent visite, nous avons eu peur qu'ils ne se détournent de nous, et c'est seulement maintenant que tu m'appartiens vraiment.

Tu ne te tournes plus vers le regard des autres lorsque tu veux dire quelque chose. Enfin tu me parles, enfin je fais ta connaissance. Auparavant, je te regardais quand tu dormais et je trouvais que c'était notre unique intimité… Ta dépendance envers Gaspard… C'était ton idole, il faut dire.

« Comment peux-tu aimer un homme qui n'était qu'un valet, Séraphine ?

— Oui. C'est sans doute vrai, tu as toujours été sous influence, tu n'as lu que les livres que les autres te recommandaient… Tout venait des autres… les films, les soirées au théâtre, les opinions politiques… Tu as signé des pétitions juste pour faire plaisir à tes amis.

— Continue, Séraphine, continue le procès !

— Quand tu n'étais pas toi-même, j'avais envie de toi.

— Mais je vais si lentement, il faut que tu m'aides pour tant de choses. Je n'arrive pas jusqu'à la dernière étagère de la bibliothèque en montant sur le petit escabeau, je tombe assez souvent du lit. Je ne vais plus me promener.

— Oui, mais nous buvons ensemble ! Et tu me portes au lit, ivre morte.

— Ça, par exemple, ce sont les autres qui le faisaient, autrefois, et tu titubais derrière eux. Comment se fait-il, Séraphine, que tu ne me voies plus comme un vassal ?

— D'ailleurs, dit Séraphine en me coupant la parole, je n'ai jamais aimé ce Gaspard Nock, il t'écrivait toujours "mon fidèle ami". Pour ton discours d'anniversaire, il s'est exclamé : "On peut compter sur toi, Donatey : tu es le dernier enthousiaste !" J'ai eu honte de cet hommage qui n'était destiné qu'au laudateur, et pas à celui qu'il était censé célébrer…

— Tu as pris quelque chose, Séraphine ? Tu es tellement euphorique…

— Quant à Ingo Licht, ce sculpteur… »

Séraphine fut tout à coup soulevée par la colère. Assise derrière moi, elle chuchota, comme si l'on nous épiait :

« Encore un soi-disant ami, cet Ingo Licht. Il avait toujours besoin de faire prendre conscience aux autres de leurs limites. Pour lui, ils ne valaient pas grand-chose. Ils n'étaient "dignes de reconnaissance" que dans un contexte précis. Il soulignait sa douceur, et nous disions tous, moi comprise : "Il est d'une telle douceur !", comme s'il y avait quelque chose d'exceptionnel là-dedans. Nous disions aussi : "Il est devenu plus doux", pour justifier à nos propres yeux le fait que nous ne l'envoyions pas au diable. Quand il était de "bonne" humeur, c'est-à-dire d'une humeur qui nous était favorable, nous pouvions séjourner dans l'antichambre de sa personne – mais derrière il y avait encore beaucoup de portes fermées à clef. À ses amis, il faisait comprendre qu'il s'était tellement perdu dans la profondeur de son existence qu'il ne pouvait plus satisfaire ses interlocuteurs (du statut d'ami, on rétrécissait à celui d'interlocuteur) qu'avec des fragments de discussion d'une assez grande simplicité. Il leur demandait comment se portait l'un de leurs parents, les interrogeait sur leur santé. "Tu es un martyr, avec ta prothèse de colonne vertébrale !"

« Crois-moi, Donatey, continua à tempêter Séraphine, en vérité il ne se préoccupait pas de ce type d'attention. Au plus profond de lui-même, dans ses journées ou ses nuits de solitude et d'isolement complet, il était tourmenté par des choses tout à fait ordinaires, semblables à celles qui te tourmentent et me tourmentent aussi : par exemple la jalousie envers d'autres artistes.

— La jalousie envers d'autres artistes, tu crois ? Non, non, avec son humeur silencieuse, nous le vénérions comme un dieu, tu comprends, Séraphine ?

— Oui, mais notre sorte de soumission plongerait Dieu dans la tristesse, je le sais ; il n'a jamais voulu créer des gens comme ça. À chaque fois que nous le voyions, reprit-elle, ce vieil ami (cette étrange amitié dura plus de trente ans), il était forcé, après beaucoup de vin, oui, il était forcé, de te dire "la vérité", sur ton caractère, sur ton travail. Et à chaque fois tu l'écoutais avec la franchise d'un martyr. Moi-même, il m'arrivait de l'approuver d'un hochement de tête : il te rapetisse, et tu lui rends hommage. "Tu n'es pas le rêveur que tu aimerais être", ou alors : "Tu es, comme l'aurait dit Goethe, *un talent forcé*".

— Est-ce que tu plaides contre lui et pour moi, ou pour lui et contre moi, en ce moment ?

— Après nos rencontres, tes nuits étaient une tragédie, un tissu d'accusations contre toi-même. Le lendemain matin, tu lui écrivais combien tu avais été blessé par tel ou tel mot. Un jour, il t'a répondu : "Il y a quelque chose, oui, quelque chose que je veux encore te dire, non, je me retiens, parce que après tu n'auras plus pour moi que rancune." C'était ça, un ami, cet Ingo Licht ?

— D'autant plus à présent qu'il n'est plus parmi nous. D'une manière générale, je pense à tous ceux, si nombreux, qui ne sont plus là…

— Alors tu penses souvent aux morts.

— Oui, même à ceux que j'ai à peine connus. »

Plus tard nous nous endormions et Séraphine ne jurait plus dans ses rêves, parce qu'elle avait trop parlé avant. J'étais forcé de penser à tous les morts qui me tenaient à cœur. Ils n'étaient pas forcément nos parents, ni de vraies connaissances. Pourtant nous avions « collectionné » en nous ce qui les concernait, ils étaient devenus proches de nous sans que nous l'ayons remarqué. Soudain, lorsqu'ils meurent, ils brillent en nous. Nous voyons leur regard, quelques mouvements, nous entendons leurs voix. Des circonstances inexplicables ne nous ont guère permis de nous voir, nos chemins ne se croisaient pas, mais on les rencontre avec d'autant plus de force une fois qu'ils sont morts. La disparition de ma chère mère, que j'avais tant aimée, me laissa en revanche indifférent. Je m'étais peut-être déjà trop souvent imaginé sa mort avant qu'elle ne survînt, si bien que le deuil était déjà consommé.

Autrefois, je n'allais pas voir au cimetière les gens qui m'avaient été chers, je ne présentais même pas mes condoléances à leurs proches.

Ce matin, j'ai de nouveau trouvé une lettre de ma mère Mathilde.

« Mon fils,

Peu importe dans quel ordre tu trouveras mes lettres. J'aimerais écrire ici à ton propos, pas à propos de ma jeunesse, qui ne te concerne en rien, comme je te l'ai dit à plusieurs reprises.

Je vais mourir pauvre. Je ne te laisserai rien. Si : une hypothèque. Je n'ai pas voulu t'importuner avec ça pendant les dernières années, bien que j'aie fait devant toi quelques allusions à ma pauvreté, comme tu l'a sûrement remarqué. Tes amis te considéraient et te considèrent toujours comme un hypersensible, une personne qui ressent les choses plus vite, les appréhende plus intuitivement que les autres. Ce n'était pas mon cas ! Je voulais te le dire avec tout mon amour, tant que j'étais encore en vie, mais ton sens du tact s'opposait au mien...

Pourquoi ai-je dû te dire : J'ai besoin de nouveaux implants, je ne peux plus rien mordre de solide. Ou bien : Mon parquet est humide et sent le pourri, j'aimerais marcher sur un plus beau sol ! Ou encore : Inspecte donc ma garde-robe, y vois-tu quelque chose qui n'ait pas au moins dix ans d'âge ? À chaque fois que j'y faisais allusion, tu changeais de sujet. J'ai gardé pour moi mes modestes désirs, et ce que j'ai gardé pour moi, je te l'ai soustrait en amour. Comprends-tu : je t'aime au-delà de ma vie, moins ce que tu ne m'as pas donné. Voici le formulaire de l'hypothèque. Les intérêts courent, dépêche-toi, sans quoi tu seras ruiné, toi aussi. »

L'argent fut le plus grand souci de Mathilde, de sa mère et de Georg. Parfois ils en avaient un peu, d'autre fois pas du tout. Mathilde travaillait comme traductrice dans une maison d'édition et l'éditeur, qui lui vouait une grande affection, lui donnait beaucoup de travail. Elle traduisait des romans policiers américains et anglais, pas de la vraie littérature. Elle était rapide, parce qu'elle ne lisait les livres qu'au moment où elle les traduisait, et elle était pressée de connaître la fin de l'histoire.

Georg et Léa recevaient chaque mois une petite somme de l'État allemand, en guise d'indemnités.

Mathilde gagnait assez pour s'acheter des souliers élégants. Elle se lia d'amitié avec une riche veuve qui lui offrait régulièrement des cadeaux.

Une fois par mois, une limousine noire entrait dans notre rue et s'arrêtait à quelques mètres de distance de notre immeuble. La veuve était assise derrière ses vitres teintées. Elle portait à chaque fois une nouvelle perruque, et sur celle-ci un voile de soie qui lui cachait le visage : elle le voulait ainsi depuis la mort de son mari. La porte de la Chevrolet s'entrouvrait à peine et Mathilde glissait dans l'entrebâillement comme si elle avait été aspirée.

Elles allaient rue de la Gare, chez Grieder, où Mathilde sélectionnait des robes noires d'un genre bien précis pour sa vieille mécène. En contrepartie, elle pouvait se choisir quelque chose pour elle. La vieille dame lui offrit un bracelet de chez Cartier.

Ensuite, elles dînaient au grill du Baur au Lac. Assises l'une en face de l'autre, elles se taisaient, la situation ayant plongé Mathilde et son hôtesse dans une certaine perplexité. Peut-être passaient-elles aussi du temps à regarder le lac. Madame était au bord de la cécité, mais elle discernait encore les silhouettes des cygnes blancs. Elle s'étonnait, comme je le fais moi-même, de ces longs cous qui donnent à ces créatures lacustres leur allure énigmatique et menaçante.

Un été, elles partirent pour Salzbourg. La veuve ne parvenait pas à comprendre que Mathilde s'intéressât à « ces trucs modernes ». Elles se disputèrent devant la Festspielhaus, ma mère voulut revenir aussitôt en Suisse, car sa protectrice et ses « considérations réactionnaires » lui avaient gâché cette invitation. Le lendemain, elles étaient dans des chaises longues sur la terrasse de l'hôtel Fuschl, où d'autres riches clients débattaient des nouvelles thèses sur Mozart. Ils roulaient les « r » à la bavaroise, ils avaient sur les genoux des caniches toilettés qui s'aboyaient mutuellement à la figure comme s'ils se moquaient, dans leur langue canine, du snobisme de leurs propriétaires.

L'hiver, Madame invitait ma mère au Palace de Saint-Moritz ; un soir, Mathilde y fit la connaissance de James Mason. Elle dansa avec lui, au bar, et s'évanouit tout d'un coup dans ses bras. Tous les clients accoururent sur la piste de danse, même James Mason lui tendit un verre d'eau froide. Le héros de *North by Northwest* l'avait tenue contre sa poitrine en dansant ! Il la raccompagna à sa place et prit la poudre d'escampette. À une autre table, Alfred Hitchcock était assis avec son épouse. Je pense qu'il avait fait semblant de ne pas reconnaître James Mason, ou bien qu'il n'avait même pas remarqué cette petite scène.

Le lendemain matin, elles rentrèrent par le Chemin de fer rhétique, qui venait d'être inscrit par l'Unesco sur la liste des sites du patrimoine mondial. Les parois du wagon-restaurant étaient en acajou, les sièges en cuir anglais. Tout à l'intérieur était vieux et brillait aimablement. On aurait pu se croire en Arizona, mais à l'extérieur, on voyait défiler les montagnes de l'Engadine, qui s'adoucissent lorsqu'on approche de Coir. Mathilde nous raconta encore qu'à onze heures, le matin, quatre personnes de haute stature et parlant russe avaient fait irruption dans ce wagon. Deux femmes et deux hommes, tous les quatre habillés de fourrure. Les deux hommes agitaient leur passeport helvétique, comme pour montrer aux autres passagers qu'eux aussi étaient devenus suisses. Puis ils s'installèrent devant une table de bois brillante où l'on dressa aussitôt le couvert. Ils commandèrent le menu et quatre doubles Black Label, une bouteille de malanser, *niet* eau minérale, « Whisky, *khorocho* », on les entendait crier dans tout le wagon. Les femmes avaient la peau hâlée et les joues rondes, les hommes portaient des bretelles et des lunettes dorées. Ils devinrent de plus en plus bruyants et joyeux, buvaient à la santé des autres clients, ils n'arrêtaient plus de commander, du cognac, du vin des grisons. L'un des couples s'embrassait en rotant, l'autre femme s'endormit, appuyée contre la vitre, l'homme contemplait son verre vide comme si son regard allait suffire à le remplir…

Ils se relevèrent tant bien que mal et à grand fracas, puis s'agrippèrent les uns aux autres comme les aveugles de Bruegel avant de repartir en titubant vers l'autre wagon. La veuve portait ses lunettes de soleil ; de sa vieille main sèche et bleuâtre, elle entoura le poignet de Mathilde.

Elle paraissait avoir l'esprit confus, mais elle savait et entendait tout : « La voilà, la nouvelle richesse, les Russes suisses… Autrefois, il y avait les pauvres Italiens, maintenant ce sont les pauvres Suisses, et là-bas, les Russes suisses braillent… »

Mathilde regarda par la fenêtre, elle fit mine de ne pas avoir entendu ces remarques. Elles lui donnèrent l'impression qu'elle dépendait un peu de cette Madame…

Que signifie végéter ? Ne rien faire, avec les lois complexes que cela implique. Cette activité présente une lointaine parenté avec la vie des sans-abri qui, dans la journée, boivent en bredouillant sur les bancs publics et, la nuit, coincent leur sac de couchage ou étalent leurs journaux sous le porche d'un grand magasin. Au matin, ils trouvent un autre banc. Certains comptent les nuages, par ennui.

Je commence ma journée en cherchant une chose, et pendant ce temps-là j'en perds une autre, si bien que j'oublie l'objet de ma première recherche. Ce que je pense n'a rien à voir avec des pensées. Il s'agit de brosses à dents, de lacets, d'un livre dont j'ai commencé la lecture, d'une carte postale que je viens de recevoir, d'un petit paquet de Parisiennes acheté au matin. Je tourne lentement, toute nervosité dissipée, autour des choses que j'ai perdues, et je bois mon café souvent refroidi. Me voilà soudain stoppé par le souvenir d'un lieu, d'un emplacement. S'il s'agit d'un faux pas que j'ai commis, je tourne autour de ce lieu et je cherche une solution qui m'aurait permis d'éviter mon erreur, tout en sachant qu'il est trop tard et qu'on ne rattrape pas le temps perdu.

Parfois une colère intérieure me retient : le jour où j'ai eu mes soixante ans, j'ai attendu du matin jusqu'au soir les cartes de vœux, les lettres ou les fleurs. Il en est arrivé quelques-unes, je ne peux pas le nier, mais cela ne me satisfaisait pas, Untel et tel autre m'avaient oublié… Je ne me réjouissais pas de voir ceux qui venaient m'embrasser et me féliciter, j'étais furieux contre ceux qui ne m'avaient rien envoyé.

Je me mis à les dénombrer. J'y passai une heure entière, consignai par écrit, comme l'aurait fait un inspecteur de police, les noms des non-félicitants. Il y en avait de plus en plus. Le soir même j'étais à mon

bureau, et au lieu d'envoyer des mots de remercie-
ments aux amis qui avaient pensé à moi, j'écrivis des
lettres furieuses à ceux qui m'avaient oublié – alors
que quatre d'entre eux étaient déjà morts à l'époque.

Pendant des semaines, ma sensibilité me fit agir
dans la confusion. Je cherchais des tournures me permettant de ne pas trop laisser transparaître la vexa-
tion dans mes lignes tout en exprimant une allusion
suffisamment claire pour que le destinataire en fût
embarrassé.

« Cher G.,

En ce jour où je franchis le cap de la soixantaine,
nous nous connaissons depuis trente ans déjà. »

Raffiné.

Deux jours plus tard, la réponse de G. : « Et
après ? »

Végéter, cela signifie aussi attendre quelque chose
là où il n'y a rien à attendre. Lorsque Séraphine
revient de la ville, je continue à attendre, je me gratte
à l'endroit où s'arrêtent mes chaussettes, je découvre
une petite piqûre de moustique sur ma cuisse, je
passe dans la salle de bains, je cherche une crème
antiallergique, je ne la trouve pas, je fouille toute la
pièce, je finis par y dénicher un somnifère égaré
depuis longtemps, je vérifie la date de péremption et
lorsqu'elle n'est pas encore atteinte je cherche un
poudrier dans lequel je puisse conserver ce médica-
ment, j'y déverse les cachets, j'emporte l'écrin en
argent dans ma chambre, j'ouvre le tiroir, je trouve
une vieille lettre que m'avait adressée ma première
épouse, je m'y plonge, je la range dans mon portefeuille, trois billets de banque en tombent et, comme

je ne peux plus me pencher, j'appelle ma deuxième épouse. Elle rêve dans la chambre d'à côté, face à celle donnant sur le jardin. Elle ne m'entend pas tout de suite et je la rejoins à pas feutrés pour ne pas la faire sursauter. Je l'attrape par le coude et je la tire en souriant dans la chambre. Elle se déshabille, je la laisse me déshabiller, nous nous aimons à notre manière, de temps en temps elle demande : « Je te fais mal ? » et je réponds toujours « Non », bien que les douleurs tuent tout mon plaisir. Nous nous endormons, la fenêtre est ouverte, le vent du soir souffle dans la chambre, j'entends le bruissement des billets tombés de mon portefeuille, et Séraphine qui commente : « Nous n'avons déjà plus grand-chose, et tu le perds dans l'appartement. » Elle se penche sous le lit et me rend les billets bien repliés. Nous dormons de sept heures à onze heures du soir. Ensuite il nous arrive de manger une soupe aux lentilles puis de jouer à la canasta.

Alors que je bats les cartes d'un geste rapide et habile, Séraphine me regarde tout d'un coup, l'air un peu moqueur.

« Dans beaucoup de choses que tu fais, dit-elle, tu ressembles à Mathilde, ta mère. Elle continue à vivre en toi et ça ne me convient pas tout à fait. »

Je lui fais passer les cartes.

Je ne peux me prononcer sur ce point. Des amis survivants, plus vieux que moi bien entendu, l'ont déjà remarqué également – et je le ressens moi aussi, mon Dieu ! Ce ne sont pas seulement les mouvements rapides, brusques, illogiques, c'est la même expression du visage lors de mes accès de colère, l'arbitraire et les motifs qui y mènent. Comme je porte désormais, l'hiver, des chemises de nuit plutôt que des pyjamas, ainsi qu'une robe de chambre que j'ai héritée d'elle et dont la ceinture se dénoue au moindre mouvement lorsque je me dirige vers la salle de bains, faisant glisser la robe de chambre de mon épaule, Séraphine voit encore plus clairement en moi le spectre revenant de ma mère.

Mathilde savait danser comme personne, même si elle avait été forcée d'abandonner l'école de danse d'Offenbach. Toute ma vie j'ai fréquenté des bals, j'ai gagné des prix de valse, de tango, de fox-trot. Grâce à Piotr, qui – j'ignore pour quelle raison – avait des relations dans la bonne société viennoise, je pouvais chaque année participer au bal de l'opéra… En écrivant ces fragments, et même quand je mange, j'ignore si c'est la main gauche de ma mère qui guide la mienne. Nous sommes tous deux gauchers.

Mathilde avait en outre le don d'attacher les gens à elle, d'un rien. Elle avait par ailleurs perdu toutes ses illusions. Elle ne supportait pas l'enthousiasme, doutait des miracles et des hasards positifs. Lorsque les cours de la bourse tombaient, elle n'était jamais surprise, contrairement aux autres, et quand elle apprenait la mort d'une amie, elle disait : « Il fallait bien que ça arrive, elle n'était plus toute jeune. »

Mathilde avait beaucoup d'énergie et aucun espoir.

Dans les années quarante, après avoir plaqué mon père, elle a été un certain temps liée d'amitié avec un violoniste de Francfort qui, jeune garçon, avait survécu à Birkenau. Il jouait dans l'orchestre du camp – mais d'un autre instrument, le violon était déjà pris. Il n'était plus resté à David que le choix de la grosse caisse, qu'il s'accrochait à l'épaule. Ils jouaient tout en marchant en rond. Quand il faisait de la musique, un gardien s'amusait à taper à contretemps sur la peau du tambour. L'histoire de David, ce sont les miracles qui lui ont permis de survivre.

Mathilde et le violoniste se voyaient quotidiennement lorsqu'il ne donnait pas un concert quelque part dans le monde avec son quatuor. Ils passaient leurs vacances ensemble, chacun dans sa propre chambre, ils se retrouvaient au petit déjeuner, où David racontait chaque matin une nouvelle plaisanterie à Mathilde. Elle riait tant qu'elle était incapable de décapiter son œuf ou de verser son thé. Le jour de l'un de ses anniversaires, il s'installa devant sa chambre et lui joua une variation de Paganini. Pour Mathilde, trois années durant, David ne fut qu'un compagnon. Il voulait l'épouser. Mais après tout ce qu'il avait enduré, il ne pouvait plus sentir sur son corps le moindre contact de tendresse : chacun d'entre eux pouvait, dans son imagination, devenir une douleur. Il était donc exclu qu'ils deviennent un vrai couple. Mathilde souhaitait rire avec David, elle ne voulut jamais se représenter le passé qu'ils avaient eu, tous les deux. Un jour, elle me dit de but en blanc : « Prends-le pour ami, je ne peux pas supporter ses histoires de camp de concentration, je me sens coupable parce que nous avons été sauvés... »

David avait été un enfant prodige, tout comme son frère pianiste. Ses parents, industriels fortunés dans le textile, possédaient à Francfort une maison wilhelmienne à trois étages. La SA la détruisit pendant la Nuit de cristal, poussa le piano à queue sur le balcon du dernier étage et le jeta dans la rue.

Depuis, lorsqu'on installait les instruments avant un concert, David ne pouvait s'empêcher de sortir de la salle au moment où l'on poussait le piano sur la scène. Il ne supportait pas le halo sonore des cordes qui tremblaient. Depuis que je connais l'histoire de David, je ne vois jamais plus un piano sans l'imaginer tombant dans la rue en vol plané… Les mauvaises expériences des autres déteignent sur moi.

Pourquoi l'histoire de Mathilde me conduit-elle dans l'horreur des autres ? Pourquoi vois-je à présent David et son frère cadet, qui a été dans le même camp mais a été gazé et dont la mort a sauvé la vie de David ? Un officier SS, qui avait admiré les deux musiciens dans une salle de concert, avant la guerre, donna au survivant le numéro de son frère défunt : à partir de cette date, pour l'administration, David était mort.

« Tu ne peux jamais te concentrer sur quelque chose, gronde Séraphine. Avec toi, tout mène à la vie des autres et au passé. »

Je n'avais donc pas remarqué que j'étais en train de raconter toutes ces histoires à voix haute.

« Tu me remplis l'appartement avec tes histoires, je suis entourée de fantômes…

— Tu viens de me dire que tu voyais ma mère en moi… j'ai donc réfléchi à elle, et ces réflexions ont accompagné ma voix, et mes lèvres se sont animées… c'est ainsi que je suis passé d'un sujet à un autre…

— Mais toujours le destin des juifs !

— Il n'y a pas un seul jour où je ne réfléchisse pas au fait que je suis juif. Si tu me demandais ce que ça veut dire en réalité, tu me rendrais sacrément per-plexe : je ne me suis jamais occupé des questions reli-gieuses, j'ignore totalement le sens des jours de fête et quand un ami me souhaite *Chana Tova,* j'ai oublié si c'est pour célébrer l'An Neuf ou Hanoukka... Mais comment puis-je te l'expliquer ? Ce sont nos parents et nos grands-parents qui nous ont donné notre iden-tité juive, et nous, surtout nous qui sommes nés après la guerre, la Shoah nous a rendus encore plus juifs. Il est indéniable que quelque chose en nous est diffé-rent... Le visage, les traits entre les lèvres et le nez, cer-tains mouvements, mais aussi le besoin de souligner notre judaïsme ou de le dissimuler particulièrement. Lorsque j'étais encore enfant, cela ne jouait aucun rôle – juif, on ne le devient qu'avec l'âge, bien qu'on le soit depuis le début... Un jour où je travaillais avec Gaspard, à Nuremberg, une vieille femme m'a traité de « sale juif » dans le tramway. Si une vieille citoyenne de Nuremberg m'interpelle en ces termes, pourquoi ne devrais-je pas en parler ?

— Oui, mais être juif, c'est quoi, en réalité ?

— La nudité. Une manière d'être plus nu que d'autres. Nous montrons tout dans la nudité : le gro-tesque, l'existence de victime, la richesse, l'agressivité et la fierté. Nous ne racontons que des plaisanteries sur nous-mêmes, et nous ne nous en sortons pas for-cément bien. Et nous aimons cela, ne pas bien nous en sortir, nous avons donc un type particulier de vanité... Ce n'est pas une distinction, c'est un fait. Comme les juifs le font sentir, ils tapent souvent sur les nerfs de ceux qui ne le sont pas. Je ne le com-prends pas non plus tout à fait. Je suis fatigué. »

Ce soir-là, j'ai laissé Séraphine gagner aux cartes, si bien que mon long monologue ne s'est pas terminé en fâcherie, qu'elle m'a même un peu ri au nez, ce qui me fait le plus de bien – entre autres parce que je crois être ridicule...

Au cours de la nuit suivante, Séraphine a parlé dans son sommeil, beaucoup parlé, et ses phrases étaient la déposition d'un rescapé de Birkenau au procès de Nuremberg.

Le lendemain matin, en regardant par la fenêtre côté terrain de jeu – le ciel était gris de nuages repliés sur eux-mêmes et qui tournaient dans une direction précise, comme s'ils allaient entraîner toute la planète derrière eux –, j'entendis un bruit de grattement inhabituel en provenance du couloir. Je découvris une caille. Elle était passée dans l'entrebâillement de la porte d'entrée, en bas, elle avait monté l'escalier de pierre, et comme Séraphine avait laissé la porte ouverte en allant faire des courses, elle était venue se promener dans le couloir de notre appartement. « La caille sentait le charbon. » Je me pressai contre le mur pour ne pas la déranger et pouvoir continuer à l'observer. Puis je fermai la porte d'entrée et la fenêtre : je ne voulais à aucun prix rendre si vite que cela sa liberté à la caille. Je lui ouvris en revanche toutes les portes, comme on offre au visiteur d'un appartement à louer ou à vendre la possibilité de se promener dans toutes les pièces. Elle le fit sans crainte, comme si elle connaissait bien les lieux.

Je marchai prudemment, en chaussettes, en direction de l'oiseau. Il s'arrêta et m'observa. Il avait des yeux noirs, il en ferma un, et me lança de l'autre un regard fixe et attentif. Il resta immobile, comme s'il était fixé sur un socle au musée.

Sans savoir pourquoi, je me demandai comment je pourrais réussir à garder la caille. Je ne peux me l'expliquer, mais face à cette vision, je me dis, l'espace d'un instant, que je vivrais un jour seul dans ces lieux – seul avec la caille. Cet animal n'était pas fait pour l'endroit où il se trouvait à cet instant précis. Comment la caille avait-elle trouvé cette rue, cette adresse, cet étage et cet appartement ? J'étais déjà vieux, le problème me fatigua. Je m'endormis dans le fauteuil de mon grand-père. Je rêvai que je ne me réveillais plus, que la caille avait été la dernière créature vivante que j'eusse vue avant ma mort.

Lorsque je me sortis tout de même du sommeil, l'oiseau continuait à me regarder d'un œil, l'autre était hermétiquement fermé. Peut-être était-ce pour cette raison qu'il avait perdu le sens de l'orientation et s'était égaré ici. Ou bien était-ce un signe ?

Je crois aujourd'hui que c'est l'âme de Cynthia qui avait migré dans la caille. Comme je ne pouvais m'empêcher de penser si fréquemment à elle depuis son suicide, je me dis qu'elle s'était sentie appelée et avait attendu, pour me revoir, un moment où j'étais seul Seminarstrasse. Ne lui avais-je pas suffisamment parlé ? Aurais-je pu empêcher son suicide si je l'avais choisie pour partager mes vieux jours, elle plutôt que Séraphine ?

Mais à peine cette intuition m'avait-elle effleuré que la caille s'ébroua, étira légèrement ses petites ailes, les referma et tomba sur le côté comme un animal empaillé. Je l'attrapai par les pattes, la soulevai et l'observai au creux de ma main. Je caressai son ventre encore chaud.

Qu'est-ce qui me passa par la tête ? Je la portai dans la cuisine et me mis à la plumer, d'abord avec précaution, puis de plus en plus nerveusement, jusqu'à ce qu'elle ressemble à un petit embryon tout nu. Je lui ôtai les entrailles avec un couteau de cuisine, puis la mis dans un plat et la glissai dans le four. Je versai du poivre et du sel sur son foie et sur son cœur. Séraphine était allée danser en ville avec une amie (à moins qu'elle ne fût allée soigner le jeune homme avant leur départ ?).

Je dressai solennellement la table, allai chercher à la cave un vieux rioja. Jusqu'à une heure tardive de la nuit, je rongeai le petit os de Cynthia.

Tandis que la lune brillait de toute sa splendeur, pleine et nue, je tentai de comprendre pourquoi tant de choses différentes pouvaient se produire en aussi peu de temps : une discussion sur le judaïsme, l'apparition de la caille, l'idée de la métempsycose et puis cette envie monstrueuse de déguster la caille, qui, quelques heures plus tôt, avait encore tant représenté pour moi…

Là où la vie s'arrête et où l'on ne fait plus que végéter, là commence peut-être la vie. Seuls les souvenirs (y compris les faux) sont la vie, le reste est une action, une agitation, un oubli de soi, un engourdissement. Quand j'avais encore beaucoup de boucles, je passai beaucoup de temps à les enrouler autour de mon doigt, désormais je suis chauve et j'enroule les poils qui me sont restés autour des parties génitales – cela produit de petites tresses que j'ai le plus grand mal à dénouer.

(Lorsque j'avais un iPod, je ne pouvais jamais profiter de mes chansons préférées, parce que les cordons de l'écouteur s'étaient emmêlés et je passais le plus clair de mon temps à en défaire les nœuds.)

« Qu'avez-vous fait de votre vie ? »

Démêler des choses emmêlées, le cordon du téléphone, le nœud de ma cravate, mes bretelles…

Voilà, Gaspard n'est plus parmi nous, et cela me rend encore plus inactif que ce que je m'imaginais. Il y a des jours où j'aspire de nouveau à son retour, d'autres où je souhaiterais le voir encore plus mort qu'il ne l'est. Il y a aussi les jours où je ne pense pas à lui. Dans un premier temps, j'ai conservé les souvenirs de son dernier mois, quand il était assis sur une plage, à Ischia. Il écrivait des phrases sur la plaque de marbre, conscient du fait que ce seraient ses dernières, que nous les citerions tous fréquemment. Est-ce une pensée autorisée ? Tout ce qui tourne autour de la mort et d'un mourant est-il sacré ? Celui qui se sait mourant est-il une fois de plus l'histrion qu'il était lorsqu'il était encore vivant, nous faisait rire ou nous consternait ? (Au moment où j'écrivais cette phrase, le programme de traitement de texte a subitement disparu de mon Power Book. Il est remonté lentement vers le haut, et pendant des jours j'ai été incapable de le retrouver. J'ai finalement fait appel à un spécialiste qui, après bien des manipulations, a rétabli la page…)

Gaspard écrivait aussi : « Je me porte pratiquement mieux que jamais. » Nous verrons bien quand nous en serons là.

Je passe des heures à penser à l'instant de ma mort… Où serai-je, entouré par quels amis, Séraphine

sera-t-elle encore-là ? Hormis la caille, quelles pourraient être mes dernières images ? Jadis, lorsque j'étais
jeune homme, et bien plus tôt encore, quand j'étais
petit garçon, j'avais à l'esprit l'image d'une fraiseuse,
la lampe halogène ronde, les deux doigts du dentiste
dans ma bouche : le fruit d'une illustration de quoti-
dien en noir et blanc que je mélangeais à la photo
d'une opération des amygdales dans une revue américaine. Avant que la caille ne soit devant moi, telles
furent les dernières impressions de ma vie. Mais qui
sait, je suivrai peut-être une libellule sur une petite
mare, je regarderai à travers ses ailes : derrière, la nuit
s'étendra, et de l'air chaud, parfumé, me caressera les
joues. À moins que je ne voie Eichmann avec ses
écouteurs, dans son cube de verre, à Jérusalem.

Lorsque ma mère est morte, seule Charlotte était
auprès d'elle. Elles s'étaient réconciliées, alors que
Mathilde et moi ne nous parlions presque plus : nous
ne faisions plus que nous écrire des lettres. Par peur
de son énergie et de la malveillance qui intervint plus
tard dans sa vie, nous nous disions avec crainte :
« Elle sera le premier humain immortel dans l'histoire de l'univers… » Charlotte lui avait allumé une
cigarette. Mathilde la fuma, coincée dans la commis-
sure droite de sa bouche, sans la toucher des doigts.
Elle clignait des yeux pour lutter contre le nuage de
fumée qui l'entourait – on aurait dit une existen-
tialiste des années 1950, mais elle rappelait aussi la
jeune fille qui avait travaillé au night-club « Chez
Cécile », à Marseille…
    C'est Charlotte qui me parla de ce temps-là, et
lorsque ces affleurements du réel m'auront vraiment

fatigué, je le raconterai encore à la fenêtre du 108, Seminarstrasse – il est vrai que personne n'écoute.

La cigarette, consumée jusqu'au filtre, lui collait encore entre les lèvres – et elle ne vivait plus. Charlotte lui retira précautionneusement le mégot de la bouche. Ce faisant, ses doigts passèrent entre ses dents qui, avec la dernière énergie – ou juste par réflexe – mordirent le pouce et l'index de Charlotte. Il paraît que l'expression de Mathilde se situait entre le plaisir et le sarcasme, qu'elle avait l'air très jeune, comme sur les images datant de l'époque où elle dansait à Offenbach.

Alors que beaucoup de mes meilleurs amis souffrent de misanthropie, Gaspard était un philanthrope maladif. Je ne suis ni l'un, ni l'autre. Je règle mon attitude sur les humeurs et les états d'âme de ces amis : je tente d'égayer l'anachorète par mon naturel très divertissant, je montre au philanthrope que, lui mis à part, je n'ai pas beaucoup d'amis. J'attends que le misanthrope ne supporte personne à part moi et le philanthrope m'affirme que, s'il a effectivement beaucoup d'amis, aucun n'occupe dans son cœur une aussi grande place que moi, bien évidemment, Seigneur, voilà donc comment on s'en sort !

Nock, Gaspard Nock, l'un des derniers artistes de théâtre avant 2014, vivait dans un labyrinthe d'amitiés aux dimensions rabelaisiennes. Hormis pendant ses horaires de travail, il était impossible de le rencontrer seul : il n'était pas « l'homme des foules » d'Edgar Allan Poe, mais « l'homme qui vivait avec les foules ». Dans ces foules-là, j'étais le plus proche de lui, mais ceux qui me suivaient l'encerclaient de si près, toujours plus près, que j'étais fréquemment catapulté hors de la masse. Malgré tout, je faisais chaque fois des efforts indescriptibles pour me rapprocher de lui, aussi près que possible.

On dit que dans la réserve de Massai Mara se trouve un groupe d'éléphants, de zèbres, d'antilopes ou de girafes qui courent à travers la steppe, corps contre corps, comme s'ils ne faisaient qu'un. Les lions, eux, on les voit se reposer, solitaires, dans les fourrés, guettant leurs proies. J'ai pris l'habitude de nous concevoir comme des animaux, pour que mes observations soient plus objectives et plus modérées.

Donatey est un caméléon.

Gaspar Nock est un troupeau.

Même lorsqu'il se trouvait dans la salle et appelait un comédien auquel il était lié d'amitié, il l'interpellait en ces termes : « Toi… oui, toi, là… non, pas toi, toi ! »

Il connaissait tant de personnes qu'il en oubliait leurs prénoms. « J'ai rendez-vous ce matin avec Martine, non, pas Martine, avec Tania, non, pas Tania non plus, avec Roman, non, pas avec Roman, avec Fred. Viens avec moi, il y aura sans doute aussi Martine, Tania et Roman. »

Il habitait toujours au centre d'une ville. À Paris sur le boulevard Saint-Germain, à Berlin d'abord à Charlottenburg, puis dans l'arrondissement de Mitte, à Rome sur la piazza Navona, à Madrid à la Puerta del Sol… Personne n'avait à traverser une banlieue pour lui rendre visite ! Et c'était aussi notre centre à nous – quand il partait en voyage, une sorte d'hiver s'installait ; les rues qui menaient à lui d'ordinaire me paraissaient vides et sinistres.

La foule qui l'entourait rendit bientôt Gaspard vieux et mélancolique. Mais il continuait à rire et à palabrer, sa maison était un va-et-vient permanent, comme s'il s'était agi du lieu où nous pouvions sentir à quelle vitesse tourne notre planète. Il saluait cordialement chaque visiteur et prenait congé de lui le cœur chargé d'une sincère mélancolie. Qu'un seul s'en allât, il ressentait subitement le départ de tous. « Reste donc encore un moment », était la phrase qu'il prononça le plus souvent au cours de son existence. « On ne vit qu'une fois. » De tous, c'est moi qui étais le plus pressé de partir et qui y parvenais le moins. Je m'y préparais longuement : à chaque fois, au fil de la soirée, je rapprochais peu à peu mon sac à dos de la sortie. Du salon au couloir, du couloir aux environs de la porte d'entrée. Mais lorsqu'il disait au revoir à un autre convive, il découvrait mon sac et le ramenait à son point de départ.

Lorsqu'il se rendait au restaurant avec tous ses amis et amies, il regardait le menu et relevait tour à tour les vœux de chacun. Lorsque le maître d'hôtel arrivait à la table avec son bloc, Gaspard connaissait par cœur la liste des entrées, des plats et des desserts de chacun des convives. Nous étions parfois vingt-deux, il nous invitait tous. Pas seulement par générosité : c'était aussi par peur : la peur de perdre un ami ce soir-là, quelle qu'en fût la raison. La peur que l'un d'entre nous hésite à venir pour des raisons d'argent, que le cercle se rapetisse. La peur de se retrouver seul tout d'un coup, à la grande table ronde d'un restaurant chic. Je crois que dans ce cas-là, il aurait rameuté des gens dans la rue, comme le font les rabatteurs de night-club avec leurs jolies petites cartes.

J'étais avare. Je le suis toujours. J'ai peur de mourir pauvre, et je suis déjà un peu appauvri. Je vis sur le dos de Séraphine. Elle ne me le fait jamais sentir, elle dit : « Je viens de trouver cinquante euros que tu avais laissés dans la poche de ton pantalon. »

À chaque fois que nous allions manger aussi copieusement, je craignais que Gaspard n'ait oublié son porte-monnaie et qu'il ne s'exclame tout d'un coup, puisque j'étais son collaborateur : « Donatey, invite-nous, je te le rends demain. »

Le lendemain, Gaspard aurait oublié. Comment aurais-je pu lui dire, à lui qui nous invitait toujours tous : « Tu me dois… Tu sais bien… » Pareille situation ne devait pas se produire. Je fuyais ces invitations, j'inventais mille raisons qui le mettaient en colère et lui faisaient dire, à chaque fois : « Reste tout de même encore un moment… On ne vit qu'une fois. »

Alors qu'il se mourait sur une chaise longue à Ischia, il m'écrivit sur son tableau : « Crois-tu que l'on revienne ? Même sous les traits d'un autre ? »

Je n'ai encore jamais fait la connaissance de mon père italien. Il ne le voulait pas. Peut-être aimait-il encore Mathilde et, pour clore cet épisode, décida-t-il de ne pas avoir de relations avec son fils. J'ai fait quelques recherches sur les lieux où sa vie s'est déroulée et achevée, mais sans avoir le courage de le rencontrer. Je craignais de découvrir une analogie avec un homme que je ne connaissais pas, et de découvrir ainsi à quel point un être humain est composé d'une foule d'éléments qui appartiennent à autrui.

Il vivait dans une grande maison près du lac de Garde, avec une journaliste allemande dont on disait qu'elle portait de très grands chapeaux de paille et des lunettes de soleil qui lui dissimulaient le visage. Tandis qu'il passait ses journées assis à une table de jardin, muet et dépressif, elle consacrait les siennes à préparer pour lui des plats exquis dont elle allait frénétiquement apprendre les recettes dans toutes sortes de livres de cuisine.

Gaspard connaissait la journaliste et passa dans sa maison quelques journées du mois d'août. Mon père, mon inconnu, avait spéculé jusque dans les années 1980 et avait perdu toute sa fortune dans un krach boursier. Ce jour-là, il avait immédiatement laissé tomber tout ce qui lui venait entre les mains : les journaux, sur la table, étaient éparpillés par le vent, ils traînaient aux quatre coins du jardin ou restaient suspendus jusqu'aux plus hautes branches du cerisier. Son épouse, la femme au chapeau de paille, lui faisait le soir la lecture de Moravia, Pavese, Svevo ; il appuyait sur sa main sa tête toujours plus rabougrie, le bras sur la table, et pleurait lorsque les histoires devenaient tristes. Il s'identifiait aux hommes d'affaire déchus de Svevo, se retrouvait dans les histoires d'amour malheureuses de Pavese.

Alors que Mathilde resta jusqu'à la fin de sa vie une sorte de soldat en armes, je m'imaginais mon père comme un tournesol se courbant lentement, perdant sa couleur et ses fins pétales avant de se coucher. Il s'est endormi pendant un dîner, en présence de nombreux amis, et jusque tard dans la nuit, personne n'a remarqué qu'il était mort.

Lorsque Mathilde l'apprit, elle se tenait devant un miroir et essayait justement une nouvelle robe que lui avait offerte la riche veuve. « Aide-moi pour les boutons de derrière », me dit-elle.

Dans l'histoire de ma mère apparaît alors, accroché à un parachute dans le ciel au-dessus de Marseille, au-dessus du petit hôtel à la chambre pleine d'escargots, Pierre Leon. C'était l'été 1940. De Londres, où Charles de Gaulle appelait les Français à résister aux forces d'occupation, venaient des avions anglais qui larguaient des hommes dans la zone encore libre afin de soutenir la Résistance.

C'est ainsi que Mathilde fit la connaissance de Monsieur Pierre Leon. C'était son nom de guerre. Mathilde n'a jamais appris son véritable patronyme, alors que cette rencontre fut pour ma mère, encore jeune alors, l'histoire d'amour de toute sa vie.

Plus tard, elle ne voulut plus jamais se lier sérieusement à un autre homme. Elle resta célibataire et ne laissa que très rarement des admirateurs s'approcher. Mais je ne sais rien de bien précis : je recompose sa vie à partir de quelques indices. Ses qualités, l'âpreté de son caractère m'aident à le faire. Je cherche son arrière-pays.

Son passé a-t-il laissé dans mon corps et dans mon âme quelque chose qui me donne envie de partir à sa recherche ? Son silence, son refus de revenir dans le passé m'imposent des suppositions qui deviennent, au bout du compte, des fictions, des images telles qu'elles apparaissent à ma fenêtre, dans la Seminarstrasse.

Une nuit où je dormais sur la plage de Cassis, parce que j'étais trop soûl pour oser essayer d'aller dans un hôtel, je rêvai que Mathilde était assise près de moi, sur le sable, et comptait à voix basse :

« Midi, treize heures, quatorze heures… » Je me réveillai brusquement, regardai si Mathilde se trouvait bien auprès de moi sur la plage à dénombrer les heures, et je sus d'un seul coup que Cassis était à coup sûr le lieu où Mathilde avait rencontré Pierre Leon pour la première fois. C'est la réalité, et Charlotte, ma sœur, m'avait aidé à en être certain. Mathilde ne voulut jamais boire de kir, ce mélange de champagne et de cassis. « Il y a trop de souvenirs dans ce mot, Cassis, tout près de Marseille, c'est l'homme venu du ciel. »

Je les vois à présent enlacés dans un petit restaurant, d'abord face à face, puis l'un à coté de l'autre, pour s'embrasser encore plus fort.

À l'aube, il l'accompagna jusqu'à l'entrée de son misérable hôtel de passe. Lorsqu'ils prenaient ce chemin à pied, elle plongeait sa main dans la poche du manteau de l'homme, pour se sentir comme cousue à lui. Lorsqu'elle était fatiguée – elle ne pesait plus que quarante kilos –, il la portait sur son dos comme un enfant. Même l'été, il dissimulait son visage avec une écharpe, un chapeau gris lui couvrait les yeux ; il se cachait aussi sous différentes perruques, si bien qu'il arrivait à Mathilde de ne pas le reconnaître tout de suite sur le lieu de leur rendez-vous et de l'attendre alors qu'il se tenait à côté d'elle.

Dans ses jeunes années, Donatey avait été l'amant d'une photographe parisienne. Elle s'appelait Claire et voyageait dans les zones de guerre avec son petit Leica criblé de chocs. Elle photographiait des combats et les combattants, sans se faire voir, au Viêtnam, en Afrique, au Cachemire.

Ils habitaient dans le XVIIIe arrondissement, à la Goutte-d'or, un quartier où les Africains noirs et les Arabes portent des djellabas. Les femmes noires sont vêtues des habits multicolores de leur terre natale, elles marchent d'un pas plus lourd et plus lent que les Parisiennes rapides du VIIIe. Claire et lui avaient pris une petite chambre de bonne. Ils partageaient toilettes et salle de bains, dans le couloir avec les habitants des trois étages inférieurs. Lui vivait de ses revenus à elle. Il ne savait pas encore ce qu'il allait devenir, n'avait pas encore fait la connaissance de Gaspard Nock, regardait déjà à la fenêtre ou passait des heures à dormir sur le matelas, jusqu'au soir. C'était ainsi.

Claire travaillait pour une agence. Un jour, son directeur lui passa un coup de téléphone : elle devait aller photographier le président à l'Élysée. Le jeune politicien regardait la photographe comme s'il était sous hypnose. Il se tenait des deux mains au bord de son somptueux bureau Napoléon III.

« Ne souriez pas, dit Claire.

— C'est à vous que je souris, répondit le président.

— Mais pas maintenant, j'ai besoin d'un portrait de vous sérieux. »

Le sexagénaire se tient à sa fenêtre et tape du poing contre le bas de son cadre.

Une amitié se noua entre le chef de l'État et l'amante de Donatey – une amitié à la française. Il voulait la rencontrer en secret, sous un pseudonyme. Elle proposa Sorel. Le héros du *Rouge et le Noir* de Stendhal.

« J'ai lu le livre dans ma jeunesse, c'était un combattant courageux, non ? » demanda le président, et ils se mirent d'accord sur ce nom-là. Plus tard, Claire lui soutint que Julien Sorel était l'ambition faite homme. Pour sa part, elle s'identifiait à Mademoiselle de La Mole, ce personnage anarchique, impénétrable et imprévisible, et, disait-elle, elle avait entrepris de tourmenter le président comme La Mole avait tourmenté Julien. Elle ne cacha pas cette liaison à Donatey. Celui-ci n'était pas jaloux. Il se sentait si proche du pouvoir qu'il en était flatté.

Elle partit au Mali pour photographier des guerriers Bororo ; Donatey continua à dormir sur le matelas de la Goutte-d'or posé à même le sol. Chaque matin, le téléphone sonnait de très bonne heure, et une voix déguisée – l'homme tenait sa main devant sa bouche – prononçait les mots : « Dites à Mademoiselle de La Mole que Julien Sorel lui présente ses salutations. » Il leur arrivait de se rencontrer, Julien Sorel et Claire, le soir, dans un parc encore ouvert. C'était l'été, et l'un des hommes les plus puissants de France s'était fait acheter dans un magasin de farces et attrapes un nez en plastique, une longue barbe et un dentier avec des dents manquantes. Ils se rendirent, à bord d'une petite voiture que l'homme d'État avait fait acquérir dans l'après-midi, dans un hôtel du XXᵉ arrondissement. Elle raconta à Donatey qu'il l'avait portée dans ses bras pour monter l'escalier, jusqu'à la chambre. Là, il l'avait allongée sur le lit comme on le fait dans les films avec Cary Grant et Katharine Hepburn, ou comme s'ils se trouvaient dans une chambre du château de Versailles.

Tiens donc, se dit l'homme vieillissant à la fenêtre du 108, Seminarstrasse, tiens donc. J'aurais dû chercher à en tirer profit à l'époque, moi, l'amant de la maîtresse du Président de la République française. J'aurais pu influencer Claire, lui faire partager mes points de vue et mes idées, j'aurais pu l'amener à faire prendre certaines mesures au président : interdiction des voitures dans le centre-ville à partir de 14 h et le soir dans toute la métropole ; faire donner, depuis le nouvel opéra, hideux, celui de la place de la Bastille, une transcription du deuxième mouvement de la *Septième symphonie* de Beethoven ; prévoir des halls chauffés et des pyjamas frais pour les clochards, avec chaque soir quelques centaines de baguettes – en contrepartie, ils devraient garder le sol propre et aérer leurs sacs de couchage jusqu'au soir. Depuis ma petite fenêtre à la Goutte-d'or, j'aurais pu voir des avions écrire mes propres poèmes dans le ciel.

Je ne suis jamais autorisé à mentionner cet épisode devant Séraphine.

Mais revenons à la vie de Mathilde à Marseille :

Pierre Leon invitait Mathilde dans de bons restaurants. Il avait toujours une liasse de billets sur lui, dans la poche arrière de son pantalon. D'où venait cet argent ?

Il voulait qu'elle prenne du poids, mais la faim lui coupait l'appétit.

Pendant ces moments-là, sa mère Léa passait le plus clair de son temps allongée dans sa chambre d'hôtel, à aligner les grilles de mots croisés ; elle faisait aussi des patiences sur le lit, comme elle l'avait toujours fait et le ferait toujours. Je crois qu'elle ne s'est jamais sentie mal, tout venait comme cela venait ; elle continuait à faire la cuisine à même le sol et ne posait pas de questions à sa fille. C'est de Léa que je tiens l'art de végéter. Mais elle jouissait plus de sa léthargie que moi-même ; le temps ne jouait aucun rôle, les décennies s'écoulaient et elle était heureuse lorsque l'hiver s'en allait. Aucun conflit n'éclatait jamais à sa proximité, et je ne me souviens pas non plus l'avoir jamais entendue élever la voix. Lorsque Mathilde lui cherchait querelle, Léa donnait simplement raison à sa fille ; elle ne tentait jamais de lui répondre. Pierre Leon avait le même âge que ma grand-mère. Il prétendait être en mission pour la Résistance française, raison pour laquelle les deux femmes ne savaient pratiquement rien de lui, si ce n'est qu'il était père de famille, que ses enfants vivaient cachés quelque part, et son épouse ailleurs. Où ? Peut-être – cette pensée me vint un bref instant à l'esprit – était-il un agent double, peut-être travaillait-il aussi pour les Allemands ? Il savait quel jour ils viendraient occuper la zone libre – c'est ainsi qu'il sauva la vie à Mathilde et Léa.

Lorsque je me représente cette époque, lorsque je veux donner un visage à cet homme, je glisse dans le lecteur de mon Power Book l'un de mes rares DVD et je regarde *L'Armée des ombres* de Jean-Pierre Melville. Mes souvenirs inventés sont teintés de bleu gris, à cause de *La Nuit américaine* de Truffaut. Nuits bleues, aubes grises, la lumière du jour est presque absente. L'amant de Mathilde est un homme trapu, solitaire et déguenillé, taciturne, inaccessible : l'amant de Mathilde est Lino Ventura. Avant de sauter de l'avion anglais avec son parachute, il a consolidé ses lunettes avec du sparadrap. Dans la vie de Mathilde,

Pierre Leon est le commandant Gerbier. (Aujourd'hui, sur le toit, en face de moi, quatre cigognes ont construit leur nid. Dans le ciel où pointe le soleil, on dirait des silhouettes de carton-pâte.) Un héros, ce Pierre, un homme qui pourrait commettre un meurtre par nécessité politique.

Mais voilà que j'ai mélangé le film et l'histoire de Pierre. Le film : à Londres, Lino Ventura est contraint par son chef à abattre Simone Signoret ; elle lui a pourtant sauvé la vie. Mais elle a été capturée par la Gestapo. Si elle ne révèle pas les noms des hommes de la Résistance, ils enverront sa fille assouvir les désirs des soldats de la Wehrmacht dans un bordel, sur le front de l'Est. Moi, j'imaginais Mathilde dans un petit bureau, entourée d'hommes de la Gestapo qui lui demandaient : « Les noms ! »

Je sais déjà que ce n'est pas possible : Mathilde vivait à Marseille lorsque la ville était encore en zone libre, et elle n'avait pas encore de fille à l'époque.

Et pourtant, dans mon esprit, Mathilde était l'amante de Lino Ventura.

Toujours dans le film, le commandant Ventura et Simone Signoret sont assis l'un à côté de l'autre dans la voiture, et elle pose sa main sur celles, jointes, de Gerbier. On voit alors qu'il porte une alliance.

Pierre la portait aussi lorsqu'il tenait fermement Mathilde par la nuque pour l'embrasser. Il la sortait, ils allaient danser, elle avait le droit de boire, mais pas lui ; il lui fit ainsi oublier un certain temps qu'à quelques kilomètres de là, au nord, se trouvait la zone occupée, où les Allemands se préparaient à envahir le reste de la France et à envoyer les juifs et les résistants dans les camps de la mort. C'est par Pierre Leon que la mère et sa fille apprirent qu'il existait des camps et qu'on y assassinait.

Mathilde fut renvoyée par la propriétaire de sa boîte de nuit, parce qu'elle ne venait plus travailler régulièrement. Comment surmonta-t-elle la faim, comment gagnait-elle l'argent qu'elle envoyait encore à son père, à Gours ?

Un jour, elle, l'affamée, fit le service dans un bistrot du port où l'on veillait attentivement à ce que les employés ne piochent pas en secret dans la nourriture. Elle n'avait qu'une idée en tête : comment puis-je gagner de l'argent ?

Je ne sais pas pourquoi mon père italien a lui aussi été interné pendant trois mois à Gours. Plus tard, il raconta à Mathilde que l'essentiel, pour lui, avait été de se présenter bien rasé et dans la meilleure forme physique possible. Aujourd'hui, lorsque j'entends dire « rase-toi », je pense aussitôt à mon père illégitime ; et quand je le fais, c'est presque en son honneur.

Mathilde m'emmène assez souvent dans le quartier des Halles, à Paris. Un jour, alors que nous y roulions à bord de sa Renault, elle me dit tout d'un coup :

« Mathilde : Dis-moi, qu'est-ce que tu regardes comme ça, tout le temps ?

Moi : Tout ce remue-ménage… les cageots de légumes, les quartiers de chevaux suspendus à des crochets, à côté des têtes de porc.

Mathilde : Non, ce n'est pas ça qui t'intéresse. Je le sais, moi, ce que tu regardes… »

Elle remonte vers la rue Saint-Denis, à l'extrémité de laquelle se trouve le grand arc de triomphe, elle tourne dans une petite rue et hoche la tête en direction des femmes noires plus ou moins jeunes qui se tiennent aux portes ou dans les entrées d'hôtel, elle me dévisage, roule plus lentement.

« Moi : Qu'est-ce qu'elles font ici ?

Mathilde : À ton avis ?

Moi : Je ne sais pas. Elles attendent le soir, l'heure où leur mari rentre ? Elles attendent un travail ? Est-ce qu'elles attendent ?

Mathilde : Non, mon fils, ce sont des femmes auxquelles les hommes donnent de l'argent quand elles vont dans la chambre avec eux.

Moi : Et qu'est-ce qu'ils font dans la chambre ?

Mathilde : Personne ne t'a jamais dit comment on a des enfants ? Tu sais tout de même comment on fait les enfants ?

Moi : Je ne le sais pas. »

Mathilde me l'explique sans me raconter d'histoires. « Mais, souligne-t-elle, on ne fait pas tout cela pour avoir des enfants. Toi, par exemple, je ne te voulais pas à l'époque, mais l'Italien n'a pas voulu faire attention, et j'ai tout d'un coup eu une drôle de sensation : "Ne pas être si seule, et pourquoi pas celui-là…" »

Fatiguée et énervée, elle avait laissé tout cela se faire, cette après-midi-là, à Florence.

« Tu es un Florentin », dit-elle en riant.

Puis elle s'arrêta net.

« Tu voudrais aller dans la chambre avec une de celles-là ? » Elle sortit de l'argent de son sac. « Je t'attends de l'autre côté, au café. »

Je montai un escalier de fer en colimaçon, derrière une gracieuse Africaine. Hormis un jupon rose clair et transparent, elle ne portait qu'un minuscule soutien-gorge noir.

Les murs de la petite chambre carrée venaient tout juste d'être repeints en vert clair. Je humai la peinture fraîche. Sur le sommier étroit, un matelas, pas de draps, pas de couverture.

« *Your name ?* » Elle pointa l'index vers ma poitrine. « *I am Angie.* »

Je la regardais fixement. Ma bouche était sèche comme le sable du désert, et je me mis à trembler.

« *What happens, Baby ?* »

Je reculai vers la porte, incapable de parler.

« *You're leaving me ?* »

Elle dégrafa son soutien-gorge, l'air renfrogné.

« *Stay, my little boy !* »

J'étais déjà en train de dévaler l'escalier. Elle cria, d'en haut :

« *My money, you crook !* »

Des portes s'ouvrirent partout dans le couloir, un jeune homme musclé voulut me barrer le chemin. Je repartis en courant vers – comment s'appelait-elle déjà ? – vers Angie, et je lui remis son billet. Je ne me rappelle pas comment je fis pour rejoindre la rue. Mathilde avait déjà ouvert la portière, elle démarra. Elle ne m'a jamais interrogé sur mon initiation.

Dans la voiture, je me suis endormi tout de suite. Plus tard, j'ai réfléchi. Mathilde voulait-elle exprimer à mon intention une sorte de solidarité avec la profession qu'elle avait peut-être dû exercer de temps en temps, par nécessité, au cours de la guerre ? Voulait-elle me faire perdre mes préjugés, si je venais à apprendre un jour quelque chose sur son passé ? Ou pensait-elle qu'un homme n'est jamais aussi heureux que pendant une heure passée avec une fille de joie ? À moins que son intention ait été, au contraire, de me montrer des femmes dont elle était très éloignée, avec lesquelles elle ne voulait rien avoir à faire ?

Pendant toutes les décennies qui ont suivi l'épisode de la rue Saint-Denis, avant que l'on ne m'installe ma prothèse de colonne vertébrale, j'ai passé beaucoup de temps dans les bars, les boîtes de nuit et les bordels – j'y ai fait la connaissance de beaucoup, beaucoup de femmes. Aujourd'hui encore, je corresponds avec certaines de celles que je fréquentais à cette époque. Elles ont mon âge aujourd'hui, parfois même plus. La plus jeune a soixante-dix ans, elle est de Chicago. Gloria vit à Harlem, porte un chapeau à fleurs sur ses cheveux gris et passe son temps, depuis des années, à apprendre par cœur l'emplacement des capitales de tous les pays du monde, ou encore le nom des fleuves et rivières de France, avec leur cours. Sur l'une de ses cartes postales, elle m'a dessiné le plan d'Offenbach. Lorsque je suis allé dans la chambre avec elle pour la première fois, c'était dans les années cinquante à New York, elle m'a demandé : « *Hey, man, is Europe in Germany ?* »

Alexandra, qui venait de Sibiu, a arrêté au bout de quinze ans et a travaillé, bien après l'âge de sa retraite, à l'Hôpital général de Vienne. Elle m'envoie des flacons de Tramadol, du valium, des petites compresses au Durogesic, pour lesquels on ne me donne plus d'ordonnance. J'ai recommandé une certaine

Magdalena, de Saint-Pétersbourg, à mon ami le Dr Mensch, pour qu'il lui implante dans la colonne vertébrale la même structure de titane qu'à moi-même. Elle m'en est tellement reconnaissante qu'elle m'a invité, « quand tu voudras », à venir à Graz, dans son nouveau club, « une semaine gratuite ». Je me suis dégagé de tout cela, par la force des choses : gratuitement, ce serait comme si j'allais au casino jouer au Monopoly avec de faux billets. Si Mathilde savait que j'ai dépensé cent mille euros, Mathilde, qui est devenue tellement économe ! Elle en déchirerait toute sa garde-robe – presque toute, pas les tenues de Saint-Laurent ou de Balenciaga –, elle nierait que je suis son fils, elle geindrait : « Tu aurais pu me les envoyer par virement, tes cent mille euros, et je ne dépendrais plus de cette veuve épouvantable. »

Et je l'entends dire : « Je suis devenue prude. Je ne supporte plus de discussion sur la sexualité. Les couples infidèles n'entrent pas chez moi. » Elle s'est brouillée définitivement avec des amies qui menaient une vie extraconjugale.

Je la vois justement marcher dans la rue, avec une canne et un voile devant le visage, comme cette femme du tableau *Isabelle voilée* que Giacometti a si souvent peinte et sculptée en fine statue. Je l'appelle d'en haut pour en savoir plus sur Pierre Leon.

Mathilde : Laisse-moi en paix, il n'a jamais existé.

Moi : Mais tu as raconté à Charlotte certains épisodes de votre histoire.

Mathilde : C'est une mythomane.

Moi : Tu le lui as raconté, et pas à moi, pourquoi ?

Mathilde : Parce que les hommes ne comprennent pas les femmes, nous sommes deux races différentes.

Moi : Tu ne penses plus jamais à lui ?

Mathilde : Je pense à lui chaque jour. Mais je ne sais plus à quoi il ressemblait. Il m'apparaît dans mes rêves, alors je me souviens. Lorsque je me réveille, il ne me reste que le battement de mon cœur, et l'image de l'écharpe sur son nez.

Avant de m'endormir, je m'imagine souvent l'histoire d'amour entre Mathilde et Pierre Leon, l'instant où il dit : « C'est fini, il faut que je parte. » Je la vois s'accrocher à son manteau quand il part, je la vois se laisser tirer dans la rue, je le vois déboutonner son manteau et s'en échapper, je la vois rester le manteau entre les mains, tellement décontenancée qu'elle ne pleure pas une seconde. Elle rejoint Léa à l'hôtel et dit : « Fais tes bagages ! »

En guise d'adieux, Pierre Leon a organisé leur fuite de Marseille vers la Suisse. Comment tout cela s'est fait, je l'ignore, et Charlotte ne le sait pas non plus.

Quelque part, sur un champ qui séparait la Suisse de la France, elles se sont mises à courir, toutes les deux, en sachant que des soldats de la Wehrmacht les observaient et pouvaient leur tirer dans le dos à n'importe quel instant. Qui était l'officier qui ne donna pas l'ordre ? À l'extrémité du champ, côté Suisse, un bus passait sur la route. Elles firent signe au chauffeur. D'un geste de la tête, il les incita à monter. Sauvées : elles étaient sauvées.

De Simone Signoret, Lino Ventura disait : « Elle est faite pour prendre les ordres et pour servir. »

Mathilde, lorsqu'elle traversa la France avec sa mère pour se réfugier au Sud, hurlait à chaque poste-frontière au visage des militaires qui lui demandaient ses (faux) papiers, et arriva ainsi à bon port.

Le passé de Mathilde lui a volé une partie de sa joie de vivre et, depuis que je ressens moins de bonheur – en dépit des curiosités de l'existence et de mon goût de vivre –, je me demande si j'ai hérité de sa déception.

Effleurements, encore et encore. Je ne sais pas aujourd'hui en quelle année nous sommes. Deux mille et quelque chose, mais quoi précisément ? J'ai froid et le soleil brille. Je n'ose pas demander à Séraphine en quelle saison nous sommes, elle y verrait les premiers signes de ma dégénérescence cérébrale. Qui me dira la différence entre lundi et le dimanche suivant ? Nous vivons dans un chaos. Peut-être l'ignore-t-elle désormais. Elle porte une veste d'un bout à l'autre de l'année, elle a toujours froid. Il y a tellement de poussière à présent sur le parquet que nous n'entendons pratiquement plus nos pas. Nous n'avons pas fait les vitres depuis si longtemps que nous ne sommes plus en mesure de reconnaître le type de clarté qui règne à l'extérieur.

Cette nuit, j'ai entendu le mugissement d'avions, toute la maison a tremblé. Nous nous sommes réveillés : « C'est une guerre ? » nous sommes-nous demandé l'un à l'autre.

J'ai ouvert la fenêtre : j'ai vu la lune avec une perruque rousse, une longue robe – et rien en dessous. J'ai été pris de maux de ventre.

Lorsque je me réveille, la première chose que je me dis est : Maintenant, il me faudrait un conseil. Où va-t-on, à présent ?

Ô mal de ventre, glisse dans mon poignet gauche et explique-moi comment je pourrais mieux me sortir de tout cela !

Autrefois, je demandais toujours conseil à mes amis lorsque j'avais une décision importante à prendre. Ensuite, il m'a bien fallu constater que mes amis restaient indécis tant que je l'étais aussi. Ils soutenaient mon indécision parce qu'il leur était pénible d'y réfléchir. Et lorsque je leur annonçais que j'avais tranché, ils soutenaient mon choix : « Une bonne chose, que tu aies pris une décision ! » Le fait que je l'ai prise leur était tout aussi indifférent que l'incapacité où je m'étais trouvé à le faire. Ils étaient simplement soulagés que j'aie pris telle décision, ou son contraire, dès lors que je ne les importunais plus avec ma question. Aujourd'hui s'y est ajouté le fait que j'ai rêvé, la nuit, de gens qui en savaient plus que moi sur ce rêve, et qui tenaient l'index sur leurs lèvres.

Séraphine et moi étions en excursion. Le soir, nous glissions sur le Danube comme deux ombres jumelles. Parfois, une autre ombre nous engloutissait – une colline, par exemple. Et soudain, elle se transformait en son propre vélo.

Que m'arrive-t-il lorsque j'ai passé en revue la plupart des choses de mon passé, lorsque je me les suis racontées à ma fenêtre, et qu'il n'existe plus tout d'un coup que le présent, dont je ne peux plus rien tirer ?

« Tu as l'air tellement renfermé ! Comme si tu en aimais une autre. Autrefois aussi, quand tu me cachais une histoire d'amour, tu étais barricadé en toi-même, exactement comme aujourd'hui.

— Autrefois… Mais je n'ai plus rien à voir avec l'homme que j'étais. Je ne me rappelle même pas… Avant que nous ne nous soyons connus et jusqu'à sa mort, je n'ai pas pu parler de ma première épouse. Elle était tabou !

— Elle était folle, elle voulait que nous fassions ménage à trois !

— Elle ne voulait pas que tu deviennes mon infirmière.

— Tu recommences ?

— Elle n'a jamais eu l'intention de dormir dans notre lit, aussi séduisante qu'elle t'ait trouvée.

— Tu oublies Claire !

— Pardonne-moi, Séraphine, mais lorsque j'ai fait la connaissance de Claire, tu n'étais pas encore de ce monde !

— Oui, mais quand nous avons commencé à vivre ensemble, elle y était encore, et vous vous écriviez des lettres d'amour camouflées en échanges littéraires. J'ai lu la quatrième phrase de la page 52 de *Nocturnes* de Botho Strauss dans une enveloppe transparente…

— Strauss n'a jamais écrit de *Nocturnes*, tu le confonds avec Chopin.

— Peu importe. Vous êtes restés très proches.

— Je comptais te la présenter.

— Je n'y tiens pas du tout !

— Et maintenant, je ne sais plus où elle est, ni d'ailleurs si elle est seulement encore en vie.

— Mais moi je le suis, Donatey ! »

Et comment ! me dis-je, et je voulus lui poser la main sur la tête. Elle la repoussa sèchement.

« Je m'ennuie, Donatey, et je ne tiens plus en place. Tu ne parles plus, tu es aussi muet qu'un moine trappiste.

— Je fredonne mon histoire !

— Si c'est ce que je crois entendre, ça ne nous rendra pas plus riches. Tu ferais mieux de raconter tes aventures amoureuses, ça rapporterait un peu.

— Si toi, Séraphine, avec ton jeune malade… »

Son image m'apparut : en l'absence de Séraphine, mon soupçon se transformait en portrait. L'idée que je me faisais de lui était, me semble-t-il, un assemblage de morceaux d'hommes que j'avais, dans ma vie, admirés ou exécrés.

« Ça aussi, je te l'ai entendu fredonner, et à plusieurs reprises. Je me demande qui peut bien être celui auquel je suis censée rendre visite et promettre une fuite en commun. »

Nos scènes de jalousie, me dis-je ultérieurement, sont différentes de celles que l'on voit dans les films, les pièces de théâtre ou les romans. Sur sa chaise longue de mourant, il paraît que Nock a dit de nous : Séraphine et Donatey, un couple étrange.

Nous ne parlons pas à voix haute, nous nous déplaçons à peine, je continue à regarder par la fenêtre, je crache dans mon mouchoir, je l'enroule autour de mon index et sans même en avoir conscience, je veux m'en servir pour nettoyer une fiente sur le carreau. Séraphine, derrière moi, reste assise sur la chaise, ses mains entourent ses genoux et elle se balance d'avant en arrière, comme si elle priait. Puis on ne nous entend plus, il ne reste que les mouvements affaiblis.

Nous nous regardâmes dans l'obscurité. Séraphine s'était levée et appuya sa tête contre mon épaule.

« Je réfléchis à quelque chose », dit-elle.

Nous sommes partis – ma première grande sortie depuis des mois –, très loin, dans le Jura, pour aller chercher notre nouveau colocataire chez un éleveur de chiens et de chevaux. C'était par un gris lundi de Pâques, les cantons que nous traversâmes pour nous y rendre étaient plongées dans la brume, je ne pouvais plus m'imaginer que nous arrivions un jour où que ce fût. « Nous allons rouler sans jamais plus nous arrêter, comme dans un mauvais rêve. » Le lieu convenu était censé se trouver à proximité de Burgdorf, lequel était déjà loin derrière nous. Séraphine, soucieuse de me rassurer, disait sans arrêt : « Le Jura va commencer tout de suite », tout comme ma mère me tranquillisait, lors d'un voyage en Italie, à chaque fois que nous passions dans un village ou une petite ville : « Encore quelques kilomètres, nous sommes à deux pas, *carabinieri*. » Je pensais que *Carabinieri* était une ville, mais ce panneau était apposé à l'entrée de chaque agglomération. Quelques kilomètres avant notre but, c'est-à-dire après Burgdorf, nous appelâmes notre éleveur au téléphone, et il nous donna rendez-vous dans une station-service du village voisin. La station était fermée, les pompes désaffectées. Nous attendîmes sur le parking, par ce froid lundi de Pâques, jusqu'à ce qu'une Saab couverte de boue dont le pare-chocs pendait et raclait le sol s'arrête près de notre Smart. Un grand homme aux épaules larges et au crâne chauve parvint à s'extraire par la portière, il avait du sang sur ses lèvres violettes. Aspirait-il celui de ses animaux, ou farfouillait-il dans leur cuir avec son couteau de poche ? Lorsqu'il avança vers nous, je vis qu'il paraissait exténué : sans doute s'était-il battu avec sa horde de chiens au cours d'un dressage. Sur le chemin, l'éleveur voulut encore nous montrer un site archéologique romain ; Séraphine et moi-même feignîmes l'étonnement : « Comme c'est intéressant, un site archéologique ! » Il pleuvait. Les chiens trempés se précipitèrent dans notre direction, des centaines de boxers, zébrés ou non, à queue coupée ou entière. Ils aboyaient dans notre direction, comme pour nous dire : « Achetez-nous ! Achetez-nous ! Nous voulons aller à la ville ! »

Des troupeaux de chevaux se dessinaient dans la brume. Ils étaient tranquilles, comme collés les uns aux autres. Au premier plan, une queue battait au nom de tous les autres, une oreille tressaillait et en réveillait d'autres qui tressaillaient à leur tour. Les freins bourdonnèrent. Soudain, des dizaines de bergers allemands foncèrent sur nous et nous encerclèrent en aboyant méchamment – un seul d'entre eux voulait peut-être dire : « Si tu m'achètes, je mordrais volontiers les autres pour ton compte. » Je ne pus m'empêcher de penser à Mathilde, chassée de la piscine d'Offenbach par des chiens semblables à ceux-là.

Je l'ai sorti d'une corbeille où il était couché avec d'autres petits boxers encore amorphes. Sa peau brun doré était assortie aux châtaigniers en été, à l'automne et au printemps. L'hiver, il déboulait de tout son poids dans la neige, il laissait des taches brunes sur le sol, tant son poids enfonçait profondément le manteau blanc.

Nous n'avons pas réussi à trouver un nom à ce chien. Un nom automnal ? Parce qu'il ressemble aux feuilles brunes qu'il retourne et aux châtaigniers pris par le givre, dans la forêt qui commence derrière la place Buchegg ? Mais entre ses lubies, un rayon de soleil glisse sur son poil et fait penser à un autre nom, qui rappellerait moins une créature de l'automne. Oberon, par exemple ? Comme le prince de la forêt dans *Le Songe d'une nuit d'été* ? Parce qu'il sautait sur les passants, en ville, j'aurais plaidé pour « Rambo ». Rien qu'à m'entendre l'appeler ainsi, les gens craintifs auraient pris leurs jambes à leur cou. Pour la maison, Séraphine proposa un nom très masculin, « John ». Mais cette longue recherche et ces hésitations nous fatiguèrent et nous rendirent si dépressifs que nous renonçâmes à le baptiser. Nous l'appelions à chaque fois par un autre nom, ou nous en parlions simplement en disant « Il », « L'animal », « Le nouvel invité ».

Un soir, lors d'une promenade, nous passâmes près d'un banc où un couple s'embrassait. Le transistor, à côté d'eux, jouait *Les Quatre saisons* de Vivaldi. « Il » s'immobilisa devant la radio, la renifla, rien ne pouvait l'en arracher. Lorsque le présentateur annonça subitement « Vivaldi, Vivaldi ! », le chien, comme pris de panique, quitta le banc en courant et passa en trombe devant nous. Je criai « Vivaldi, au pied ! » et il revint. C'est le nom qu'il porte depuis.

Nous avons fait le ménage dans l'appartement, pour la première fois depuis longtemps. Bounia est revenue pour nettoyer les fenêtres, elle fait entrer une fraîche clarté dans nos chambres. Nous voyons de nouveau le coude décrit par la rue, d'un côté, le terrain de jeux pour enfants, de l'autre. Les enfants, que dis-je ? Certains d'entre eux sont déjà adolescents. Ils sont assis çà et là sur la prairie et jouent avec leur PSP. Le toboggan en plastique jaune est fêlé au milieu. On ne tond plus la pelouse : la commune fait des économies.

Vivaldi dort, et nous veillons. L'animal attire tellement l'attention que je marmonne moins, je parle moins tout seul. Jadis je ne pouvais m'en empêcher, mes lèvres s'animaient malgré moi, c'était ma manière d'être incontinent, mais les choses s'améliorent, Monseigneur. Vivaldi pousse comme une mouche qui vivrait toute son existence en une seule journée. On le voit grandir : de la petite corbeille au modèle large en une seule saison ; les yeux fermés, c'était un chien en peluche. Deux saisons plus tard, les yeux ouverts, il est comme un fauve, long et grand, et il rappelle toujours, et même un peu plus, les couleurs du soleil dans la forêt, à l'automne.

Ses yeux parlent. Ils disent : Je ne sais rien, douleur, pas douleur, faim, pas faim, poussière par terre, caca d'accord, non, pipi s'il vous plaît, bien, je veux plus de terrain, coin sac en plastique, oui, encore plus, toi pas, toi oui ! Terrain encore une fois, coin dehors, dehors, des pins avec pipi, où allez-vous, où, où !! Maintenant ! Là ! De l'eau ! Aaah… sentir, sentir.

Je ne suis pas autorisé à le faire monter sur le lit. Ordre du dresseur que nous avons engagé, avec l'argent qui nous reste, pour éduquer le boxer. Cet homme appelle notre Vivaldi « Titti », et l'on dirait que tous les chiens qu'il dresse lui appartiennent. Lui-même a l'air d'un chien et se permet de botter le train de Vivaldi avec ses bottes paramilitaires. Il dit alors : « Pour n'importe quelle créature humaine, la peur est la première règle », tandis que son Titti, notre Vivaldi, tremble de tout son corps, comme si sa peau risquait de se détacher tout d'un coup de ses os si le dresseur continuait à taper ainsi. D'un seul coup, la peau glisse sur le parquet, dévoilant les muscles sanglants de notre boxer, le nouveau compassé dans notre vie.

C'est avec lui que Séraphine parle le plus, d'une voix tendre et familière. Lorsqu'elle rentre à la maison, tard dans la soirée, Vivaldi l'attend à la porte et, de joie, se dandine du postérieur comme dans une danse orientale. Et moi ? Quand elle le promène, je lui accroche au moins sa laisse à son collier. Il se dirige d'un bond vers la sortie, et en dépit de mes douleurs au dos je me laisse tirer dans le couloir par l'animal. Je tombe, on entend craquer le fer de ma structure dorsale (ou je me l'imagine), je reste au sol. Séraphine ne semble pas le remarquer, si, elle l'a remarqué, mais fait mine du contraire pour ne pas avoir à me relever ; Vivaldi, lui, tire. Je me relève d'un coup, l'énergie du désespoir, et je m'arrête, tremblant, au milieu du couloir. J'y reste un moment et je pense à notre nouvelle vie avec Vivaldi, une vie dans laquelle les événements se précipitent comme dans un ciel nocturne pendant l'été, lorsque les étoiles filantes se succèdent en scintillant. Je glisse jusqu'à la fenêtre, côté rue, où j'entends les pattes de l'animal qui grattent l'asphalte. Au matin, c'est le seul bruit que l'on entende dans la Seminarstrasse. Je presse le front contre la fenêtre propre : Vivaldi est justement en train de faire le gros dos, il tend les jambes, la queue pointée vers le haut et, dans cette attitude (que je connais pour l'avoir vue sur une peinture de Lucian Freud), il pousse la petite boule de crotte au milieu de la rue. Ses yeux se lèvent dans ma direction, indifférents. Je détourne le regard, honteux et écœuré. Lorsque c'est fini, j'ouvre la fenêtre et je crie vers le bas : « Bravo, Vivaldi. » C'est le dresseur qui nous a conseillé de le faire. « Bravo, Vivaldi, bravo. »

Et ils s'éloignent tous les deux dans la nuit.

Nous ne respectons pas les règles du dresseur : le chien qui, d'abord, dormait devant la porte et frottait son museau contre le bois, si bien que ce bruit sourd et la compassion me faisaient mal au petit doigt, toute pitié s'exprimant chez moi dans les os de la main ou les phalanges –, le chien, donc, fut autorisé à dormir près de nous, au pied du lit, et à ronfler au même rythme que Séraphine.

Le matin, le boxer pose ses deux pattes au bord de la baignoire et en boit presque tout le contenu.

Je sens dans le bras une étrange émotion lorsque Vivaldi est allongé par terre et souffle comme si tout son corps était le Saint-Gothard traversé par un bon coup de vent. Et je sens la même émotion lorsqu'il plonge son museau spongieux dans ma main pour y ramasser un morceau de fromage.

Parfois j'aimerais être allongé comme le chien, le matin, ne voir que les lattes du parquet brillant aux rayons du soleil, et puis ne penser à rien.

Le chien est âgé d'un an et demi, ce qui correspond à peu près à huit années humaines. Un gamin. Et c'est bien le petit garçon que je vois dans ce boxer : à la fois mal élevé et fier lorsqu'il réussit quelque chose de bien, lorsqu'il s'abstient gentiment de s'en prendre à un piéton, lorsqu'il retrouve un objet dans une cachette complexe.

Je regarde fixement le chien, ses yeux sont ceux d'un petit d'homme. Seuls nous séparent la différence de conscience et l'odorat raffiné, qui nous manque sauf lorsque nous avons des problèmes de foie. Séraphine me parle moins qu'à Vivaldi. Elle rompt l'accord avec le dresseur : la peur qu'il en a rend le chien imprévisible. L'animal de défense est devenu un agresseur. Pendant les promenades, il bondit soudain sur les gens, à son gré, notamment sur les gens de couleur et les vendeurs de fleurs pakistanais. Chaque jour Séraphine me rapporte une attaque de ce genre, et lorsque je dis : « Nous allons le ramener au chenil, dans le Jura », elle gémit : « Il faudra me passer sur le corps. »

Nous avons poussé un divan près de la fenêtre, c'est là que je dors désormais. Séraphine reste avec lui dans la chambre à coucher. Il dort au pied du lit. Le soir, ma compagne est souvent allongée sur le sol à côté de lui, dans la même posture, ils ont la même taille. Les têtes tournées l'une vers l'autre, lui souffle ; elle, elle l'assure de son amour, à voix basse. Toutes choses que je ferais moi aussi volontiers, si seulement je pouvais rester allongé ainsi.

Nous voulions aller voir l'urne de Mathilde, et j'étais autorisé à venir. Le vase est enterré dans le grand carré des anonymes, au-dessus du cimetière central, et à chaque fois nous mettons du temps à le trouver, tout comme nous cherchions jadis notre voiture au parking.

Reposer dans l'anonymat était le vœu de ma mère.

Reposer ? La cendre ne repose pas, Donatey !

J'ai lutté pour que cela ne se fasse pas. L'incinération, soit, c'est ce qui nous reste des rites de notre peuple, mais pourquoi les cendres dans un cimetière anonyme, puisqu'on nous oubliera de toute façon tôt ou tard ?

« Pas de discussion », dit Mathilde : « Aurais-tu l'intention de glisser l'urne entre tes livres ? » Pour quelques semaines, je l'avais fait enterrer par Bounia, près du tilleul. Pour la voir depuis ma fenêtre. Le jardinier du terrain de jeu s'en est rendu compte parce que Vivaldi revenait constamment renifler à cet emplacement. « Respecte le désir de Mathilde », disait Séraphine. Voilà pourquoi nous sommes aujourd'hui dans ce cimetière, avec Vivaldi.

Séraphine a noué une large ceinture autour de sa taille, doublée d'une chaîne. Elle me rappelle Sir Edmund Hillary partant à la conquête de l'Everest. Autant de mesures de protection destinées à tenir Vivaldi assez fermement auprès d'elle pour qu'il n'aille pas s'en prendre aux fossoyeurs ou à d'autres visiteurs du cimetière.

On a planté des tulipes au-dessus de l'urne ; entre elles pointent de timides fleurs de muguet.

Vivaldi aimerait déterrer l'urne, Séraphine le retient de toutes ses forces. « Ma hanche me fait mal », dit-elle.

Dans l'urne d'à côté se trouvent les cendres de Léa. Celles de Georg ne sont elles aussi qu'à quelques mètres de distance. Piotr a une tombe à Paris, Cynthia à Édimbourg. Mon père italien repose au bord du lac de Garde.

Charlotte est repartie pour l'Australie. Elle s'abstient de tout commentaire sur notre nouvelle vie.

Épilogue

J'ai fait installer un appareil d'enregistrement, un mouchard, à proximité des parties génitales de Vivaldi. Je voulais entendre ce que lui dit Séraphine lorsqu'elle est seule avec lui. Je parle constamment à voix haute lorsque je suis seul ; pourquoi ne le ferait-elle pas aussi ? Je l'ai sûrement contaminée. Après son retour de promenade, j'ai discrètement démonté l'appareil et j'ai attendu sa balade vespérale suivante pour écouter l'épisode acoustique qui s'était déroulé sans moi.

« Vivaldi ! Reste ici… (Bruits de pas.) Reste ici ! Non ! ici !… Excusez-nous, il est encore jeune, je suis en train de faire son éducation. Donnez-moi votre numéro de téléphone, nous sommes assurés. Ça saigne, je sais bien, je suis navrée… (Bruits de pas dans le feuillage : c'est l'automne.) Au pied, Vivaldi ! Au pied ! Bravo… Bon Dieu ! (elle crie) Vivaldi, reviens… reviens !

— Oh mon Dieu… oh mon Dieu… »

Une autre voix, féminine : « Elle n'a que cinq ans, il faut appeler une ambulance. Pauvre Binli… » Une troisième voix : « Allons, elle saigne seulement du nez. »

Une voix masculine : « Oui, mais ça peut être une hémorragie cérébrale. Vous, vous restez ici !

— Ça n'est pas si grave, Max, regarde, elle est déjà en train de courir. »

Séraphine : « Je suis absolument désolée… Vivaldi, assis !

— Vous n'avez absolument pas le droit de le… (Friture dans l'appareil). »

J'entends des pas dans le feuillage. Séraphine sanglote.

Le lendemain, j'ai continué à jouer à « Séraphine discute avec Vivaldi », et je n'ai plus arrêté par la suite. Un jour, il était peut-être enfin devenu docile, je n'ai plus entendu que des pas dans l'appareil. Puis le bruit de quelqu'un qui s'assoit, le chien, peu après Séraphine. Je l'ai entendue respirer profondément, Vivaldi haleter, puis se calmer, battre des dents, un bruit qui annonçait son assoupissement imminent. C'est alors que Séraphine s'est mise à chuchoter, tout près du ventre de Vivaldi :

« Cher Donatey, je sais que tu m'écoutes, cette nuit, devant ta fenêtre. Je le sais bien. J'ai passé des nuits à réfléchir, et au lieu de te dire de méchantes choses dans mon sommeil – il m'est d'ailleurs arrivé de seulement faire comme si je parlais en dormant, ces derniers temps par exemple j'ai beaucoup simulé – j'ai préparé mon plan d'évasion. Ton installation d'espionnage à distance, que j'ai découverte un jour où Vivaldi se roulait dans l'herbe, est venue pour moi à point nommé. Il me semble que c'est l'instrument idéal pour ne pas disparaître de la ville sans tambour ni trompette, enfin, pas totalement. Pour tout te dire, je comptais t'écrire une lettre, car ma décision est prise et je ne reviendrai pas dessus. Mais ma voix te donnera peut-être une meilleure idée de ma détermination. Écoute comme je parle calmement. Je m'en vais. Je te quitte. J'aimerais rejoindre un autre continent, comme Charlotte. Peut-être l'Afrique. Tu as raconté des histoires tellement magnifiques sur ce continent. J'aimerais, que ce soit à l'Ouest ou à l'Est, je ne sais pas, aller y aider d'autres personnes, comme je l'ai appris auprès de toi, à ton exemple. Lorsque le chien arrivera à la maison, je ne serai déjà plus là. Je le ferai rentrer et je serai partie. Je te demande une chose : il est dangereux. Mais laisse-le vivre. Ne le fais pas piquer : il errera comme une âme en peine et ne te le pardonnera jamais. Adieu… Reste ici ! Vivaldi, reste assis… *Excuse me, Mister, no, thank you, no flowers…* »

Je me suis rendu hier chez le vétérinaire. Un brave homme, compétent. Il nous a dit : « Les hormones se développent au fur et à mesure de sa croissance, il deviendra encore plus dangereux, y compris pour vous. »

Puis le vétérinaire est passé avec le chien dans la pièce voisine. Nous n'avons rien entendu.

Vivaldi repose à présent sous la terre, côté prairie, que je préfère observer plutôt que le côté rue où je ne fais qu'attendre vainement Séraphine.

De nouvelles familles se sont installées dans le quartier, le terrain de jeu est de nouveau rempli. J'ai découvert quelques jumeaux et des gamins qui aiment la bagarre, une petite fille qui ne veut plus grandir.

J'étais là aussi, parmi eux, déguisé en chef indien, ma coiffe à plumes pesait lourd, je ne pouvais pas me tenir debout pour apercevoir les ennemis dans le lointain.

Réalisation : Nord Compo à Villeneuve-d'Ascq
Impression : CPI Firmin-Didot à Mesnil-sur-l'Estrée
Dépôt légal : août 2009. N° 2005 (95915)
Imprimé en France